내향형 인간 어쩌다 보니 모임장

내향형 인간 어쩌다 보니 모임장

발　행 | 2024년 06월 18일
저　자 | 초콜릿 한 스푼
펴낸이 | 한건희
펴낸곳 | 주식회사 부크크
출판사등록 | 2014.07.15.(제2014-16호)
주　소 | 서울특별시 금천구 가산디지털1로 119 SK트윈타워 A동 305호
전　화 | 1670-8316
이메일 | info@bookk.co.kr

ISBN | 979-11-410-9017-3

www.bookk.co.kr

내향형 인간 어쩌다 보니 모임장

초콜릿 한 스푼 지음

CONTENT

제2부. 내향형 인간의 모임 정복기

11. 내향형이어도 진행자가 될 수 있는 이유

12. 좋아하는 일을 해도 힘든 건 같아요.

13. 빠르게, 많이 실패하라.

제3부. 내향형 인간 모임 운영기

서문.

이런 분께 추천해 드려요.

-내성적인 성격을 가졌지만, 외향인으로 살아가고 싶은 분
-실패가 두렵지만, 새로운 것에 도전하고 싶은 분들
-취미 활동으로 삶을 조금 더 다채롭고, 풍성하게 만들고 싶은 분들

MBTI 검사를 하면, I 중에서도 극 I이었던 저자가 인생 처음으로 용기 내어 시작한 모임 활동. 이 사소한 시작이 내향형 인간을 외향형 인간으로 송두리째 바꿔 놓는 과정을 담았습니다. 새로운 시도가 한 사람의 삶을 어떻게 긍정적으로 바꾸어 놓았는지 그 도전에 관한 이야기입니다.

자신과의 관계 그리고, 타인과의 관계에 서툰 사람들이 읽으면 공감되고, 용기 내어 무언가 시작하고 싶게 만드는 내용을 담았습니다. 아무것도 못 할 거라고, 생각했던 저자도 1년이 안 되는 시간 동안 많은 것을 해냈습니다.

여러분은 훨씬 더 잘 해 낼 수 있습니다. 이 글이 누군가의 지친 일상에 새로움과 즐거움을 찾을 수 있는 시작이 되기를 바랍니다.

제1부. 내향형 인간의
첫 모임 도전기

01. 내향형 인간, 어쩌다 보니 모임

어쩌다 보니, 독서 모임을 하게 되었다.

대부분 사람은 타인을 이끄는 사람은 '외향적인 성향을 가진 사람'일 것이라고 생각합니다. 저 역시, 원래 타고난 기질은 외향형에 가까웠지만, 성장 과정에서 내향형으로 바뀌었습니다. 그 후, 꽤 오랫동안 내향형 인간으로 살아 왔습니다. 내향형 인간으로 바뀌게 된 사건이 몇 가지 있는데, 그 기억들 때문에 조용한 삶을 선택하며 살았던 것 같습니다.

내향형 인간이 모임을 시작하게 된 계기

이후, 저는 꽤 긴 시간을 극 내향형 사람으로 살았습니다. 내향형의 삶은 꽤 우울하고, 슬픈 삶이었습니다. 그러던 어느 날, '더는 이렇게 고립된 삶을 살면 안 되겠다. 무언가를 해야겠다.'라는 마음이 불쑥 들었습니다. 그렇게 고민이 이어진 끝에 떠오른 것은 '책과 독서'였습니다.

책과 독서는 저의 오랜 친구였습니다. 그렇게 책과 독서에 대해 떠오르자, 당시 친구가 저에게 권유해 주었던 '독서 모임'이 떠올랐습니다. 한 번도 참석해 본 적 없는 모임. 모임에 대한 불안한 감정과 낯선 감정이 교차했습니다. 하지만, 무언가를 해야겠다고 결심한 이상 시도는 해봐야 했습니다.

그렇게, 모임을 찾던 중 눈에 띄는 한곳이 있었는데, 그곳은 300명 이상의 가입자를 보유하고 있었고, sns로도 활동 사항을 확인할 수 있는 모임이었습니다. 그렇게 그 모임에 가입하게 되었습니다. 저의 첫 모임이었죠. 모임에 가입하고 보니 때마침, 당일 참석할 수 있는 일정이 있어서 '모임 참여'를 신청했습니다. 지난 몇 년간 고민만 반복하던 제가 시작하기로 마음먹고 난 후에 일사천리로 진행된 일이었습니다.

긴장 가득한 첫 모임 참석

퇴근하자마자 두근거리는 마음을 안고 첫 모임 장소로 향했습니다. 처음 문을 열고 들어설 때는 긴장감으로 가득했습니다. 낯선 곳, 낯선 도전이었으니까요.

너무 일찍 도착했던 걸까요? 빈자리가 많았습니다. 저는 어색함을 잊기 위해 테이블 위에 놓여있는 독서 노트 종이를 가만히 들여다봤습니다. 설명을 읽기는 했지만, 무슨 말인지 이해가 되지 않는 내용들도 있었습니다.

그래서, 제게 말을 걸어온 진행자분에게 궁금한 것들을 물어보았죠. 그리고, 대략적인 설명을 들을 수 있었어요. 그렇게 시간을 보내는 사이 어느새 모임 장소에는 책을 읽기 위해 모인 사람들로 가득 찼습니다. 제가 앉은 테이블에 앉은 분들과 어색한 인사를 나누고, 지정된 시간 동안 책을 읽기 시작했어요. 처음에는 너무 긴장한 탓에 머리가 새하얗게 변해서 책이 눈에 안 들어왔지만, 이내 독서 시간이 끝나면 발표 시간이 있었기에 어쩔 수 없이 책에 집중할 수밖에 없었습니다.

책 읽는 시간이 끝나고, 아주 짧은 휴식 시간 후, 조원끼리 자기소개하는 시간이 이어졌습니다. 마치, 학창 시절 새로운 반에 배정되어 새로운 친구들에게 나를 소개해야 하는 것과 같은 떨림, 같은 기분이 들었습니다. 그렇게,

어색하고 떨리는 자기소개가 끝나고, 책에 관한 이야기가 이어졌습니다. 각자 읽은 책을 간단히 소개하고, 그것에 대해 이야기를 나누는 시간이었죠. 저는 오히려 책 소개가 자기소개를 하는 것보다 훨씬 쉽게 느껴졌어요. 책이라는 매개체가 있기 때문이었던 것 같습니다.

제 책 소개가 끝난 후 다른 사람들의 책 소개가 순차적으로 진행될 때마다 생각했습니다. '어, 여기 있는 책들 다 좋잖아? 내 책 빨리 읽고, 오늘 소개받은 책들도 다 읽어봐야지!'라고 말이죠. 책 이야기를 들을수록, 책에 대한 욕심이 더 생기는 것이 참 신기했어요.

그렇게 독서 모임을 통해 책을 더 좋아하게 되었죠. 그렇게 저의 긴장 가득했던 첫 모임이 끝났습니다. 독서 모임 이후에 뒤풀이도 있었지만, 저는 술이 몸에 안 받는 체질이기도 했고, 낯선 사람들과 책 없이 이야기를 나누는 일이 여전히 어렵게 느껴져서 뒤풀이는 참석하지 않았습니다.

처음 참여한 모임은 꽤 성공적이었다.

이렇게, 외향적인 삶을 살기 위한 내향형 인간의 노력이 시작되었습니다. '여전히, 걱정도 많고, 모르는 것도 많지만 그래도 몇 번 더 참석해야겠다.'라는 생각이 들었던 활동이었습니다. 저는 이때까지만 해도 몰랐습니다. 처음 참석한 이 모임이 제 인생에서 가장 오래 하게 될 취미 활동이자, 모임 활동이 될 것이라는 것을요. 그리고, 이 취미 활동을 통해 숨어있던 저의 외향형 기질이 슬금슬금 나오기 시작했다는 것도요. 그리고, 이렇게 어렵게 한 걸음 떼던 제가 나중에는 저만의 모임을 만들어 모임장이 될 거라는 것도… 저는 이때까지만 해도, 정말 꿈에도 몰랐습니다. 시작이 어렵지, 천 리 길도 한 걸음부터라는 말이 정말이었습니다.

02. 고지식한 그녀, 노는데 재미 붙이다.

노는데 20만 원 넘게 썼다고?!

다들 어디에 지출을 많이 하시나요?

대부분의 사람은 지출할 때, 자신의 관심사에 돈을 많이 씁니다. 저의 경우, 주로 많이 소비하는 영역은 '식비와 생활비'입니다. '좋아하는 것, 먹고 싶은 것 잘 챙겨 먹자.' 라는 생각 때문이죠. 그 덕에, 혼자서도 한 달에 식비에 쓰는 돈만 60만 원 이상 지출할 때가 많습니다.

하지만, 저는 식비에 쓰는 돈은 하나도 아깝지 않았습니다. 먹는 데서 느끼는 행복이 크기도 했고, 먹는 거로 스트레스를 푸는 사람이기 때문입니다. 평소에도 휴식을 취할 때면, 늘 휴식이 가능한 편한 카페를 찾아서, 책을 읽고, 주변 풍경도 바라보고, 맛있는 디저트와 제가 항상 좋아하는 커피를 마시는 것이 저의 유일한 힐링 방법이었습니다. 쉬는 것도 조용히, 정적으로 쉬는 편이었고, 누군가가 꼭 필요하지 않은 휴식법을 취하며 살아왔습니다.

그동안 정적인 생활을 반복하고 고립 아닌 고립된 생활을 하며, 살아왔던 제가 고립된 생활을 그만두게 된 계기는 단순했습니다. 어느 날 갑자기 용기 내어 참석한 '독서 모임' 덕분이었습니다. 처음 참여하게 된 독서 모임을 통해 차츰차츰 사람들과 어울리고, 노는 것에 재미를 붙이게 되었습니다.

처음에는 노는 것에 재미를 붙이는 데에도 두세 달이 걸렸습니다. 평생 제대로 놀아본 적이 없으니, 노는 것에 재미를 붙이는 데도 시간이 오래 걸렸습니다. 게다가 평소에 늘 하고 살았던 '노는 걸 왜 놀아야 하지?'라는 생각을 바꾸는데도, 어느 정도 시간이 필요했습니다.

저는 자신도 고지식한 면이 있다고 생각하는 사람입니다. 예를 들면, 모임 활동하기 전만 해도 저는 '노는 건 시간 낭비야. 몸에 안 좋은 술은 왜 마시고, 사람들이랑

노는 데 왜 시간과 돈을 써야 해? 그 시간에 뭐라도 하나 더 배우는 게 낫지.'라는 식의 답답한 생각을 하며 살아왔던 사람이었습니다. 이렇게 고지식한 생각을 하며, 살아왔던 터라, 다른 사람들에 비해 노는 것에도 늦게 재미를 붙이게 되었는지도 모르겠습니다.

모임에 재미를 붙이게 되기까지

제가 참여했던 모임은 매주 열리는 정기 모임이었습니다. 처음 모임을 다녀온 후, 그다음 주에도 모임 일정이 있어서 참석할지 말지 망설이다가 '참석하기'를 눌렀습니다. 당시, 독서 모임은 주에 2번 열렸고, 모임 참여 초반에는 두 번 모두 참여했습니다. 모임에 자주 참석할수록 빨리 적응할 수 있을 거라는 생각에서였습니다.

퇴근하고 즐겁게 활동할 수 있는 취미 거리가 생겨서인지 모임은 저의 일상에 작은 활력이 되었습니다. 그 덕에 평소 일을 할 때도, 퇴근할 때도 신나는 마음으로 일상을 보낼 수 있었습니다. 얼마 지나지 않아, 저는 저만의 일상 루틴을 하나 만들었습니다.

퇴근 후에는 하루 종일 일 때문에 피곤했기 때문에, 집에 들러 잠깐의 휴식을 취하다가, 모임 시간에 맞춰서 움직이는 루틴이었습니다. 이렇게 저만의 루틴에 맞춰 모임 활동을 한 지 한 달째. 저는 한 달의 시간 동안 새로운 일상과 함께 모임 활동에 적응해 나가고 있었습니다.

모임에 참석할 때마다 낯선 사람과 만나서 책을 매개로 대화를 나누는 일에 적응하는데 딱 한 달 정도의 시간이 필요했습니다. 내향형의 사람이 아무도 모르는 곳에서 적응해 나가는 데에는 한 달 정도면 충분했습니다. 낯익은 사람들이 생기고, 그 장소와 모임 활동이 편하게 느껴지기에, 충분한 시간이 '한 달'이었습니다.

이렇게 한 번도 해본 적 없는 모임 활동에 재미를 붙일 수 있었던 이유는 책이라는 매개체가 있었고, 책을 좋아하는 사람들이 모여있는 곳이라서였습니다.

그동안 집중이 안 돼서 읽지 못한 책들을 매주 들고 가서 그 시간 동안 집중해서 책을 읽는 것이 좋았습니다. 또, 제 책 외에도 다른 사람들이 읽은 다양한 책과 그들의 책 이야기가 너무 재미있었기 때문이었습니다.

무엇보다도 좋았던 건, 제가 '극 내향형이며, 낯을 가리는 성격이었음에도, 부담 없이 적응하기에 편한 분위기였다.'라는 점이었습니다. 모임에 온 대부분의 참여자는 서로를 존중하는 태도로 대화하는 사람들이어서 좋았습니다.

대화할 때, 서로를 존중하는 태도를 갖추고 대화하는 사람들이 많은 곳이 얼마나 될까요? 하지만, 이곳은 다행스럽게도 서로를 존중하며, 대화할 줄 아는 사람들이 모인 곳이었습니다. 그래서, 즐거운 마음으로 모임에 참여하고, 적응할 수 있었습니다.

'서로를 존중하며, 이야기를 들어주고, 차분히 대화를 이어 나가는 것' 이것 하나만으로도 제가 이 모임에 참석할 충분한 이유가 되었습니다. 이렇게 좋아하는 이유가 많았던 모임이라서 처음 한 모임이었지만, 잘 적응하고, 오랫동안 지속할 수 있는 모임이 되었습니다.

노는데 지출은 당연하지!

처음 적응이 어려웠지, 적응하고 난 다음부터는 아무런 어려움이 없었습니다. 그래서, 노는 데에도 아주 조금씩, 천천히 재미를 붙일 수 있었습니다. 그리고, 술자리 문화도 조금씩 적응하고 배울 수 있었습니다.

이렇게, 독서 이후 뒤풀이(술자리 문화)에도 재미를 느끼다 보니, 모임을 시작한 첫 달은 모임에 8번 이상 참여했습니다. 뒤풀이와 2차까지 참석한 것을 포함하면, 노는 데에만 생애 처음으로 20만 원이 훨씬 넘는 돈을 써봤습니다. 놀아본 적 없으니, 노는 데에 20만 원이 넘는 돈을 쓴 것이 아주 크게 느껴졌지만, 한편으로는 '술자리를 즐겨 하는 성인에게 이 정도의 돈은 큰돈이 아닐 수도 있나?' 싶은 생각이 들기도 했습니다.

모임에 참여한 첫 달은 '내가 돈을 너무 많이 썼나?, 노는데 20만 원이라니, 학원에 다니는 데 쓴 것도 아니고, 너무 많이 썼는데?' 등등의 생각이 들었지만, 지루한 일상을 뒤로하고 즐거운 경험을 할 수 있었다는 것과 이전의 고립된 삶을 청산하고, 새로운 삶에 발을 들이는데, 이 정도 지출은 꽤 합리적인 금액이라는 생각이 들었습니다.

03. 무라카미 하루키의 노르웨이 숲을 읽는 남자들

책을 통해 만난 이야기 1.

책으로 만난 사람

지금까지 독서 모임을 몇 회 정도 참석했냐고 묻는다면, 못해도 50회 이상 되는 것 같습니다. 이렇게 많은 참석을 했던 날 중에 기억에 남는 책이나 사람이 있냐고 묻는다면, 무조건 "네."입니다.

제가 독서 모임을 꾸준히 할 수 있었던 건 20대 초반부터 30대 후반까지 다양한 연령대의 사람들을 만날 수 있고, 매번 다른 사람과 이야기를 나눌 수 있었기 때문입니다. 나이대별 고민은 달랐고, 그 이야기를 나누는 것이 과거의 저를 돌아보는 계기가 되기도 하고, 때론, 앞으로 제가 나아가야 할 방향은 무엇일까? 생각해 보게 되는 계기가 되어주었기 때문입니다.

이렇게 모임을 통해 만난 사람 중에는, 내밀한 이야기를 나눌 수 있는 사람들이 몇몇 있었고, 그들과 깊은 이야기를 나눌 때면, 저도 언제나 치유를 받았습니다. 그리고, 대화를 통해서 해답을 찾기도 했습니다.

오늘은, 독서 모임을 하면서 제가 읽지 않는 장르의 책을 읽은 사람들, 그중에서도 인상 깊은 감상평을 나눴던 사람들에 대해 이야기해 보려 합니다.

제가 독서 모임을 처음 나갔을 때, 같은 조가 되었던 남자분이 있었습니다. 그분이 읽었던 책은 무라카미 하루키의 노르웨이 숲이었고, 다음에 몇 번 정도 더 참석했을 때, 다른 남자분 한 분도 무라카미 하루키의 노르웨이 숲을 읽고 있었습니다.

제가 이 책을 인상 깊게 기억하는 이유는, 같은 책을 읽은 두 남성분의 감상평과 줄거리 소개가 너무 달랐기 때문입니다. 처음 만났던 남성분의 노르웨이 숲에 관한 책 소개는 이러했습니다.

"이주 간단하게 말하자면, 이 책은 한 남성이 있고, 한 여성을 사랑했습니다. 그런데, 이해가 가지 않는 건 한 여성을 사랑한다면서, 다른 여성들과 복잡한 관계를 맺고 있더군요. 어떻게 보면, 자유로운 연애관을 가진 청년이었는데, 이상하게도 한 여자에게 집착하는 게 이해가 안 갔어요."였습니다.

그래서, 우리는 이에 관해 이야기를 나눴고, 그 과정에서 남성분은 이렇게 이야기했습니다. "나도, 어느덧 30대 중반이 되니, 왜 노르웨이 숲의 청년처럼 살지 못했나? 하는 생각이 들더군요. 남자라면, 한 번쯤 꿈꿔 볼 만한 삶이라고 생각합니다. (웃음). 이 청년의 자유로운 연애와 저렇게 자유로운 연애가 가능한 것 자체가 부럽습니다. (농담조)"였다. 그래서, 우리는 모두 풉! 하고 웃었고, '아, 이것이 진짜 어른들의 대화구나.'하는 생각도 했습니다.

이 남자분의 감상평은 사랑과 자유로운 연애관에 꽂혀 있었습니다. 그리고, 그에 관한 이야기를 많이 나눴기에 인상 깊었던 감상평 중에 하나로 꼽았습니다. 추후에 이 남자분을 몇 번 더 뵙게 되면서, 알게 된 사실이 있었습니다. 이때 이분이 왜 이렇게 연애 쪽에 꽂혀계시는가 했더니, 정말 사랑한 사람과 이별한 지 얼마 되지 않아서 이별의 후유증을 앓고 계셨고, 겸사겸사해서 노르웨이 숲을 고르게 되었다고 했습니다. 또, '독서 모임을 통해 이 책을 다 읽어보리라.'라는 목표를 갖고 계셨던 거였습니다.

이때, 이분의 감상평을 듣고 우리가 주로 나누었던 대화의 주제는 "친구의 연인을 사랑할 수 있는가? 그리고, 친구의 연인을 사랑한다면서, 또 다른 여인들과 연애하고, 만남을 갖는 등의 일련의 행동을 할 수 있는가?"였습니다.

대다수 사람은 보수적인 입장을 보였고, 더러는 "그게 왜? 결혼을 한 것도 아닌데, 얼마든지 가능하지. 얼마든지, 자유롭게 연애하고, 만날 수 있다는 것에 나는 찬성." 이라는 생각을 보이는 분들도 있었습니다.

사실, 연애든 어떠한 가치관이든 정답은 없습니다. 우리는 그저, 서로의 다른 관점들을 공유하고, 이야기를 나누고, 한 번 더 생각해 보는 시간을 가질 뿐이었습니다.

같은 책도 다르게 읽는 사람들

모임을 몇 번 더 나가게 되었을 때, 똑같이 무라카미 하루키의 노르웨이 숲을 읽는 남자분이 있었습니다. 이분은, 처음 만났던 남자분과 같은 책을 읽었지만, 줄거리 소개와 감상평이 남달랐고, 그래서 기억에 남았습니다.

남자분의 노르웨이 숲 줄거리 소개는 이러했습니다. "절친한 친구가 죽었고, 그의 죽음 후, 그의 죽음으로 슬픔과 우울증에 빠진 그의 여자친구를 위로해 주다가 그녀를 사랑하게 되었더군요. 그래서, 둘은 서로의 슬픔을 위로하며, 가까워졌고, 사랑하게 되었지만, 그녀의 슬픔과 우울증은 괜찮아지지 않았습니다. 그녀는 결국, 떠났고, 그녀를 기다리는 과정에서 그는 긴 세월 다양한 여인들과 사랑을 하게 됩니다."였다. 사실, 오래전에 들은 감상평이라 정확하게 기억이 나지 않지만, 대략 이러한 느낌의 감상평이었던 걸로 기억합니다. 그리고, 이 말에서 '어? 처음이 책을 소개해 준 분과 뭔가 느낌이 많이 다른 책인 것 같은데? 마냥, 자유분방한 연애관을 다룬 책이 아닌데? 한번 읽어봐야겠다.'라고 생각했습니다.

이 감상평을 듣고, '어? 왜 친구의 여자를 사랑했는지, 이해도 되고, 그가 왜 다른 여자들을 만나면서도 그녀를 잊지 못했는지도 이해가 되는데?' 싶었습니다.

서로 같은 슬픔을 공유하고 있었던 둘은, 서로에게 의지할 수밖에 없었고, 남자는 자연스레 여인을 사랑할 수밖에 없었던 거였습니다. 그리고, 그 여인은 자신의 곁에서 그녀를 사랑해 주는 사람이 있었지만, 허망하게 잃은 남자친구를 더 사랑했기에, 그녀를 사랑해 주는 남자를 받아 줄 수 없었던 것은 아닐까? 그리고, 그 슬픔은 결국 극복되지 못하고, 오랫동안 그녀를 파멸의 길로 끌고 간 것은 아닐까? 남자 역시, 친구의 여자를 사랑하게 됐지만,

그녀가 죽은 친구를 사랑하고 있다는 걸 알기에, 섣불리, 그녀에게 자신의 마음을 강요할 수 없었을 거고, 그녀를 기다리며, 부족한 부분을 다른 여인들과 가벼운 만남으로 해소했던 건 아닐까? 하는 생각이 들었습니다.

이 책은 어쩌면, 굉장히 슬픈 이야기였고, 그 심연의 깊이를 무라카미 하루키 작가가 너무나도 잘 풀어낸 책이었던 것 같습니다.

독서와 감상이 주는 의미

저는 이렇게 독서 모임에 참석하면서, 다른 사람들의 감상평을 듣는 것이 좋았습니다. 그리고, 그 감상평을 통해 저 자신에 대해 되돌아보는 시간을 가지는 것 또한 좋았습니다. 이 시간을 통해서 저의 내면은 조금씩 탄탄해졌고, 제 마음의 약한 부분도 조금씩 치유되었습니다. 저는 진심으로 이 시간을 사랑하게 되었고, 처음으로 오랫동안 활동한 모임이 되었습니다. 그리고, 좋아하는 일을 오래하다 보면 그렇듯 시간이 지남에 따라 모임에 대한 애착도 생겼습니다.

무엇에 대한 애착이라는 감정이 저를 외향적이고, 밝은 모습으로 바꾸어 놓았습니다. 꾸준히 만나는 사람들에게 적극적으로 인사하고, 말도 먼저 건넸습니다. 책을 소개할 때면 신나서 이야기를 풀어나갔고, 타인의 책 소개를 들을 때면 머릿속에서 여러 가지 생각을 하며 사고를 확장해 나갈 수 있었습니다. 그리고, 여러 사람과의 대화를 통해서 조금씩 성숙해졌습니다.

마지막으로, 제가 살아가고 싶은 방향이 무엇인지에 대해서도 생각해 보며 제가 살고 싶은 삶을 살아갈 용기를 얻기도 했습니다.

취미로 시작한 일이 어느덧 제가 진짜 좋아하는 일이 무엇인지 깨닫게 해주는 계기가 되었습니다. 제 강점은 무엇인지, 이 강점으로 무얼 하며 살아갈지에 대한 생각을 정리할 수 있었습니다. 그리고, 그 정리된 생각의 결론은 "나는 책을 읽고, 글을 쓰며, 평생 살고 싶다."였습니다. 그리고, 그 후 이 목표를 이루기 위해 꾸준히 노력했고, 지금도 하는 중입니다.

04. 무라카미 하루키의 언더그라운드를 읽던 남자.

책을 통해 만난 이야기 2.

여느 날과 다름없이 독서 모임을 진행하던 어느 날이었습니다. 유독 '파리하다.'라는 첫인상을 남긴 남성분이 참석한 날이었습니다. 처음 만난 분이었지만, 어딘지 모르게 섬세함이 느껴지는 분이었습니다. 모임이 어느 정도 진행되고, 이분의 책 소개가 이어졌습니다.

"이 책은 1990년대 옴진리교 사건 즉, 지하철 사린 사건을 다룬 책이며, 2권으로 되어있습니다. 하나는 피해자의 관점에서, 하나는 가해자의 관점에서 인터뷰 형식으로 쓰인 책입니다. 사건이 일어나던 날, 피해자들이 겪은 생생한 상황 설명과 이야기들 그리고, 범죄자들의 인터뷰 내용 역시 잘 담겨 있습니다. 하지만, 책을 읽을수록 가해자들도 진정한 가해자가 맞나? 하는 생각이 들었던 작품이었습니다."라고 소개해 주셨습니다.

이분의 책 소개가 유독 기억에 남았던 이유는 책의 소재가 신선해서 기억에 남았습니다. 바로 다음 글에, 언더그라운드에 대한 이해를 돕기 위한 요약 내용이 이어집니다.

언더그라운드

「이 책은 일본에서 1990년대 실제로 일어난 사건을 바탕으로 무라카미 하루키 작가가 직접 한 명 한 명 만나며, 인터뷰 형식으로 만든 작품집이다. 도쿄 지하철에서 일어난 독가스(사린) 테러 사건의 피해자와 관계자 62명의 인터뷰를 담은 책이다. 해당 사건에 대해 간단히 설명하자면, '옴진리교'라는 사이비 종교단체에 의해 자행된 사건이었다. 민간인을 대상으로 화학 병기인 '사린'이 사용되었다는 점에서 전 세계에 충격을 안긴 사건이었으며, 이 사건으로 인해 13명이 사망하고, 6,300명이 다쳤던 아주 큰 사건이었다. 무라카미 하루키 작가는 이 사건을 작품으로 다루게 된 이유는 두 가지였다.

첫째. 미디어에서 다루지 않는 1차 정보들을 모으는 것.
둘째. 철저하게 피해자의 시선에서 사건을 보는 것.

당시, 이렇게 큰 사건이 일어났음에도, 일본 언론은 사건 그 자체가 아닌, 사이비 교주와 그와 관련된 흥미 위주의 보도가 대부분이었고, 피해자의 목소리를 담은 보도는 없었기 때문에 논픽션을 기획했다고 한다.」

평소, 자기계발서 위주 혹은 경제/ 경영 서적, 철학 서적, 에세이 등의 책을 읽다가, 이러한 사건을 소재로 한 작품을 타인에 의해 들으니 굉장히 신선한 충격을 받았습니다. 게다가, 소재 자체도 굉장히 자극적이다 보니 기억에 오래 남았던 것 같습니다.

이분의 소개처럼 '옴진리교'라는 사이비 종교에 의해 벌어진 일이었다는 것. 그 자체가 굉장한 충격이었습니다. 이러한 사건이 일본에서 일어났던 실제 사건이라니…. 사실, 코로나 이전에는 사이비 종교에 대해 별 관심이 없었습니다.

이런 이야기는 우리의 일상과 먼 이야기라고 생각했습

니다. 특별하게 믿는 신앙이 있어서 종교활동을 하는 스타일도 아니었기에 더더욱 이러한 사건에 대해서는 별 관심이 없을 수밖에 없었던 것 같습니다.

그러나, 코로나 사건 이후에도 넷플릭스와 뉴스 그리고 그것이 알고 싶다 등의 프로그램에서 사이비 종교에 대해 끊임없이 다루는 내용들을 보면서, 이 책에 대한 호기심이 더 많이 생겼던 것 같습니다.

여러 다큐멘터리 자료를 보며, 이제는 사이비 종교에 관해 관심을 가져야 하고 사이비 종교는 외면할 수 없는 사회 문제라고 생각하게 되었습니다. 이러한 생각을 하던 시기에, '언더그라운드'라는 책 소개는 굉장히 신선한 충격으로 다가올 수밖에 없었습니다.

가해자와 피해자

'언더그라운드'에서 가해자들이 특이한 사람들이냐 하면, 그렇지 않다고 합니다. 가해자들은 우리 주변에서 볼 수 있는 흔한 사람들이며, 내가 될 수도, 당신이 될 수도 있을 만큼 평범한 사람들이라고 합니다.

게다가, 그중에는 '게이오 대학병원의 전문의'로 근무했던 가해자도 있었다는 것에서, 학벌이나 사회적 지위와 상관없이 사이비 종교에 빠질 수 있으며, 그와 관련된 사건에도 가담할 수 있음을 잘 보여준 작품이라고 생각했습니다. 또, 사린에 노출된 피해자들 역시, 평범한 사람들이었고 우리 주변에서 흔히 볼 수 있는 회사원들이 대부분이었다고 합니다.

같은 사건을 겪은 피해자였지만, 피해자마다 그 반응은 달랐다고 합니다. 어떤 피해자는 사건 이후, 몸과 정신적인 후유증이 크게 남아서 힘든 상황에 있음에도 불구하고, 스스로 "피해자가 아니라 체험자"라고 생각하며 긍정적으로 살아가는 사람도 있었습니다. 반면, 사건의 여파로 인해 직장을 그만두고 은둔하며 살아가는 피해자도 있었다고 합니다.

살아남은 피해자들

당시 일본 사회는 큰 사건을 겪은 피해자들에게 아픈 것을 드러낼 수 없는 사회적 분위기가 형성되어 있었다고 합니다. 사건으로 피해를 당한 피해자들에게 부정 탄 사람이라며, 멀리하는 사회 분위기로 2차 가해를 저질렀다고 합니다. 이것은 꼭 일본에서만 일어나는 현상은 아니라고 생각합니다. 우리나라에서도 혹은 다른 여느 나라에서도 충분히 이러한 사회적 분위기로 2차 가해가 일어날 수 있으며, 실제로도 그러한 모습을 미디어로 접하곤 합니다.

게다가, 우리 사회 역시, 진짜 중요한 정보들을 다루는 것이 아닌 사람들이 관심을 가질만한 흥밋거리 위주로 보도되는 모습을 종종 보곤 하는데요. 이러한 모습을 통해서, 잘못된 사회적 분위기는 잘못된 양상이라고 인지하게 되었습니다.

많은 내용 중에서도 제 마음에 가장 깊이 남았던 대목은 이 부분입니다. '같은 피해자라도 사건의 피해 이후, 그 반응이 달랐다는 것.' 저는 이 부분이 왜 그렇게 마음에 남았을까? 곰곰이 생각해 봤습니다.

'사람은 자신이 겪은 사건의 크기가 중요한 것이 아니다. 사람마다 작은 사건도 아주 큰 사건으로 느낄 수 있고, 그 고통에서 빠져나오지 못하는 경우가 많다. 그럼에도, 위 테러 사건처럼 아주 큰 사건을 겪은 피해자 중에서 어떤 분은 생각의 전환을 통해 긍정적인 삶의 태도를 갖고 살아간다.'라는 모습에서 아주 큰 감명을 받았던 것이었습니다.

저 역시, 살아오며 여러 가지 일을 겪고, 힘들어했던 적이 있습니다. 하지만, 책 언더그라운드와 같은 크나큰 사건을 겪은 것은 아니었습니다. 그럼에도, 저는 제 개인적인 경험에서 고통을 크게 느꼈으며, 어쩌면 별것 아닐지도 모를 일을 크게 받아들이며 힘겨운 시간을 보냈던 것 같습니다.

그래서, 위 대목을 읽고 깊은 생각에 빠지게 되었는지도 모르겠습니다. 그리고, 한 가지 결론에 도달할 수 있었습니다. '삶에서 일어나는 사건의 크기와 관계없이, 내게 일어난 사건을 어떻게 바라볼 것이냐. 그리고, 긍정적인 관점으로 바라보는 것이 중요하다.'라는 것이었습니다.

책과 글이라는 건 이렇게 강력한 힘을 지니고 있습니다. 당시에도 큰 감명을 받았지만, 시간이 지남에 따라 그리고, 삶에 오는 일상에 치이다 보니 이렇게 중요한 깨달음을 잊고 지냈던 것이었습니다. 그러다 다시금, 이렇게 글로 적으며, 기억을 더듬고 생각을 정리하다 보니 잊었던 과거의 중요한 깨달음과 감상이 떠올랐습니다.

이런 부분 때문에, 저는 글 쓰는 것이 좋고, 생각하는 것을 좋아하는 것 같습니다. 그리고, 글을 통해 저만의 좋은 깨달음을 다른 사람과 계속 공유하고 싶다고 다짐했습니다.

05. 부동산 재테크 책을 읽는 대학생

책을 통해 만난 이야기 3.

재테크 왜 하려고 하세요?

요즘은 너, 나 할 것 없이 재테크가 열풍입니다. 이미 재테크 열풍은 예전부터 있었지만, 제가 실제로 체감했던 건 2017년, 2018년쯤부터였습니다. 이때부터 영상 매체와 서적들이 앞다투어 재테크 관련한 정보들을 쏟아냈던 걸로 기억합니다. 늘 책을 읽으러 서점을 방문하다 보니, 자연스레 그 당시에 유행하는 트렌드가 눈에 들어왔던 것 같습니다. 사람에게 돈은 살아가는데 필수 요소가 되어버렸습니다. 그 돈을 얻기 위해서 재테크 역시 필수 사항이 되었습니다.

막 재테크 열풍이 불기 시작한 2017년쯤에는 저도 관심을 가졌습니다. 하지만, 어느 순간이 되자 수많은 사람이 앞다투어 재테크 서적을 한 아름 사는 것을 보고, '어, 뭔가 잘못된 것 같은데? … 그냥 관심 두지 말자.'라며, 자연스레 재테크에서 시선을 거두어들였습니다.

주어진 것에 최선을 다하는 것이 재테크를 공부하는 것보다 단순한 삶이었기에 저는 쉬운 길을 선택했는지도 모릅니다. 그렇게 시간이 흘러 2023년이 되었고, 독서 모임을 하다 보니 여전히 심심찮게 재테크 서적을 들고 오는 사람들을 만나곤 했습니다.

재테크 서적에 대한 사람들의 반응 크게 두 가지로 나눌 수 있었습니다.

첫째. 돈만 좇는 물질 만능주의자라 생각하며, 혐오 아닌 혐오의 시선을 보내거나 약한 부정적인 시선으로 바라보는 사람들.

둘째. '자본주의 세상을 살아가려면, 재테크는 필수지.

더 열심히 공부하고, 돈 많이 벌어서 부자가 되어야지.'라고 생각하는 사람들.

'어느 것이 정답이다, 아니다 할 수 없습니다.' 그저, 책은 책일 뿐이고, 지식과 정보는 지식과 정보일 뿐입니다. 우리는 그 시간 동안 서로의 관심 분야를 주제로 공부하고, 이야기를 나눌 뿐입니다. 그럼에도 불구하고, 독서 모임에서 한 가지 신기한 현상을 보게 되었는데요. 나이가 어린 친구들일수록 '돈, 재테크, 경제적 자유'에 대해 유독 관심이 많았다는 것입니다. 가장 놀랐던 건 20살 혹은 대학생인 친구들이 재테크와 경제에 대해 더 잘 알고 있었고, 관심도가 높았습니다. 주식을 안 하는 친구를 찾기가 더 힘들었습니다. 게다가, 자기 계발에도 열성적이었고, 빠른 성공을 이루고 싶어 하는 학생들이 대부분이었습니다.

그래서, 때론 이렇게 사리에 밝고, 열성적으로 사는 학생들을 보면서, 현재의 저를 반성하는 계기로 삼기도 하며, 학생들에게 많은 것을 배우기도 했습니다.

재테크보다 더 중요한 것

오늘은 '송 사무장의 부동산 경매 기술'이라는 책과 그에 대해 나눴던 대화를 소개하겠습니다.

모임에서 '경제 관련 서적을 읽던 여대생'이 있었습니다. 여대생의 책 소개 차례가 되자, 그 여학생은 수줍은 모습으로 자신이 읽은 책에 대해 차분히 이야기하기 시작했습니다. "가장 인상 깊었던 내용은 '시간을 얻기 위해 돈이 필요하다. 그렇기에, 부동산 공부를 해야 한다.'라는 대목이었어요. 책의 내용은 등기부 등본을 보는 법, 집합건물 확인하는 법, 근저당 등 부동산 경매와 관련된 서류들을 보는 방법에 관한 내용으로 구성되어 있어요."라고 설명했습니다. 여대생의 짧은 책 소개가 끝나고, 저는 모임원들에게 공통 질문을 한 가지 던졌습니다.

"혹시, 월세가 되었든, 전세가 되었든, 어떤 형태의 집이든 간에 스스로 부동산 계약을 해본 분이 계신가요?"라고 말이죠. 그리고, 여대생을 포함한 대다수가 부동산 계약을 한 경험이 있었습니다.

"요즘은 1인 가구 시대다 보니, 부동산 계약의 경험은 대다수가 하는 것 같아요. 부동산 계약을 할 때, 등기부 등본과 근저당 관련한 서류들도 확인해 보셨죠?"라고 한 가지 질문을 더 덧붙였습니다. 그리고, 제 질문에 한 남학생이 말했습니다.

"저는 부동산 학과를 졸업해서, 직접 부동산 계약을 해 본 적은 없지만, 해당 서류를 보는 법 등 부동산 관련 법

률 지식은 잘 알고 있습니다."라며, 부동산에 대한 여러 가지 지식을 설명하기 시작했습니다. 우리는 남학생의 부동산 관련 지식과 모임원이 저마다 알고 있는 부동산 지식에 대해 한참 동안 이야기를 나눴습니다.

제가 이러한 공통 질문을 했던 의도는 저 역시 처음 자취방을 계약할 당시 이것저것 알아보고, 그 과정에서 막막함을 느꼈던 때가 떠올랐기 때문이었습니다. 당시, 제가 막막하게 느꼈던 부분은 집 계약 당시 자취방을 구하기 위해 집을 보러 다니는 일, 계약을 하는 일, 이삿짐을 옮기는 일 등이 제게 있어서 모두 처음 해보는 일이었기 때문이었습니다. 부모님의 도움 없이 혼자서 직접 부딪히며, 배우다 보니, 모르는 부분이 많았고, 우여곡절도 많았습니다. 그래서, 저도 모르게 위와 같은 질문을 하게 되었는지도 모르겠습니다. 꽤 오랜 시간이 지났음에도 당시에 느꼈던 불안함과 막막함, 어려움이 너무나도 선명했습니다. 그와 동시에, 이런 경험을 했기 때문에, 그 당시 제대로 된 부동산 실전 지식을 익힐 수 있었습니다. 부동산 관련 실전 지식을 갖고 있었기에 여대생의 책 설명을 들으며, 부동산 관련된 내용이 책에 그대로 나와 있다는 것을 알아챌 수 있었습니다. 책을 소개했던 여대생의 경우, 직접 집을 계약한 경험은 있으나, 이러한 서류를 제대로 살펴보는 방법까지는 몰랐다고 합니다. 그래서, 이 책을 통해서, 많은 것을 배울 수 있었다고 합니다. 저 역시, 스스로 부동산을 계약하는 경험이 없었다면, 여전히 부동산 계약에서 필요한 사항과 점검할 사항 등에 대해 무지했을지도 모릅니다. 하지만, 경험했기에, 책을 읽지 않아도 어느 정도 실전 지식을 갖출 수 있었던 것 같습니다. 저는 마무리로 이렇게 덧붙였습니다.

"아무것도 모를 때는 이렇게 잘 정리된 지식을 사전에 배워두는 것도 너무 좋은 것 같아요. 부동산 관련 서적을 무조건 재테크 서적으로 보고, 경제적 자유를 얻기 위해 읽기보다는 실전 상황에서 피해를 보지 않기 위해서, 공부하는 목적으로 읽는 것도 좋을 것 같네요."라고 말이죠.

이 책을 소재로 삼은 이유는 부동산과 관련하여, 힘들었던 경험과 사회 초년생 혹은 저처럼 아무것도 모른 채 부동산을 계약해야 하는 사람들에게 들려주고 싶은 이야기였기 때문입니다.

책은 목적에 따라 분류할 수 있지만, 꼭 해당 목적으로만 사용되는 것은 아닙니다. 누가, 어떤 목적을 갖고 읽느냐에 따라 책이 지닌 가치와 의미는 얼마든지 달라질 수 있습니다. 그리고, 과거에는 이렇게 상세하게 설명된 실전 지식형 책이 부족했다면, 지금은 이렇게 실전 지식에 가까운 책들이 많이 나오고 있다는 점에서 사회 초년생에게 많은 도움이 될 거로 생각합니다. 독서를 통해 시행착오를 줄일 수 있다는 점에서 얼마나 좋은 일인지 생각하며, 다른 사람들에게도 도움이 되었으면 해서 이 이야기를 소개합니다.

06. 2030에게 사랑과 결혼의 의미 1.

책을 통해 만난 이야기 4.

때는 쌀쌀한 2월. 제가 참여하고 있는 독서 모임의 특성상 대화의 주제는 매번 달랐습니다. 그날 편성되는 조원이 가져오는 책이 무엇이냐에 따라 대화의 주제가 달라졌기 때문입니다. 이날도 여느 때와 다름없이 각자 가벼운 인사를 나눈 뒤 독서에 빠져들었습니다. 약 한 시간 정도 흐르고, 가벼운 자기소개를 한 뒤, 책 소개로 넘어갔습니다. 테이블 위에 놓인 책 표지를 보니 "오늘의 주제는 사랑이구나!" 싶었습니다.

사랑의 이해

책의 장르는 달랐지만, '사랑'이라는 주제의 책이 대부분이었습니다. 이날 '사랑'이라는 주제가 유독 기억에 남았던 건, 한 여성분이 가져온 '사랑의 이해'라는 책 때문입니다. 이 책의 원작 소설을 읽어보진 않았지만, 드라마로 재밌게 접했던 작품이라 유독 눈길이 갔습니다. 답답하면서도, 많은 생각을 하며, 봤던 드라마라 "오늘은 정말 즐거운 대화가 되겠구나!" 하는 기대가 있었습니다. 이야기를 나눌 때, 사전 지식이 있는 영역이라면, 훨씬 더 즐거운 이야기를 나눌 수 있었기에, 이날의 대화가 유독 기억에 남았습니다.

'사랑의 이해' 책을 들고 온 여성분의 차례는 세 번째 차례였습니다. 자기소개 때, 여성분은 '강사'라고 소개했고, 모두가 그녀의 책 소개에 귀를 기울였습니다. 그녀는 꽤 힘 있게 이야기를 시작했습니다.

"이 책은 사랑에 관한 이야기예요. 책 제목처럼 정말 사랑에 대한 이해(理解:남의 사정을 잘 헤아려 너그러이 받아들임.) 혹은 이해(利害:이익과 손해를 아울러 이르는 말.) 두 가지로 해석할 수 있어요. 책에서 작가가 말하려고 했던 대목 중 인상 깊은 대목이 있었어요. '다른 건 다 이해관계를 명확하게 따지면서, 사랑만큼은 왜 숭고한 것처럼 대해야 하는 거지? 사랑도 철저하게 이익과 손해를 따지면 안 되는 건가?'라는 내용이었어요. 저는 이 내용이 와닿았어요. 책 사랑의 이해는 은행을 배경으로 한 젊은 남녀의 사랑에 관한 이야기였고, 여주인공이 너무 답답했어요. 좋아하는 남자는 따로 있는데, 다른 남자들과 잠자리한다는 내용이 나오더라고요. 결말도 둘의 사랑이 이어지거나 하는 식으로 끝나지 않았어요."라며, 책 소개를 마쳤습니다.

저는 그녀의 책 소개를 들은 후, "어! 저 이 책 알아요. 저는 책 대신 드라마로 봤는데, 소설책도 재미있나요?"라고 물었습니다. 그녀는 "아, 저는 책으로 먼저 읽고, 드라마로 봤어요. 그래야 재밌더라고요. 책과 드라마 사랑의 이해는 약간 다른 부분이 있었지만, 전체적인 틀은 크게 다르지 않았어요."라고 답했습니다.

저는 이 드라마와 책을 못 본 다른 분들을 위해 드라마 사랑의 이해에 관한 이야기를 간단히 시작했습니다. "책이랑은 조금 다르긴 한데, 제가 느끼기엔 젊은 청년들의 사랑과 은행이라는 직장을 연관 지어, 계급에 맞는 사랑이 있다는 걸 보여주는 것 같았어요. 어쩌면 작가의 설정일지도 모르죠. 비정규직이던 여주인공이 진짜 좋아하는 사람은 정규직 은행 계장이었죠. 그러나, 그가 그녀와의 첫 데이트에서 연애를 망설였다며, 여주인공은 발길을 돌리고 그 후, 자신에게 호감을 표시하는 청원경찰과 연애를 시작하게 돼요. 저는 여주인공이 자신을 너무 열등감 있게 바라보고, 사랑에 대해서도 용기를 못 내는 것 같다고 느꼈어요. 그럼에도 드라마 결말은 먼 길을 돌아 두 사람이 다시 사랑을 시작하려는 내용으로 끝이 나더라고요."

이렇게 설명하자, 책을 소개했던 여성분도 말을 거들었습니다. "맞아요. 여주인공은 열등감을 심하게 느끼는 것 같았어요. 그녀가 남자 계장에게 화를 냈던 건, 사실 자존감이 높은 사람이라면 그렇게 오해하고, 다른 남자와 연애를 시작할 정도의 상황은 분명 아니었어요. 근데, 그녀는 그 상황에 굉장히 민감하게 반응했어요."라고. 그 후, 모임원과 저는 여주인공과 같은 태도가 열등감에서 비롯된 태도인지, 아니면 그럴만한 태도였던 것인지에 관한 이야기도 나눴습니다. 더불어 좋아하는 상대가 이 여주인공처럼 반응한다면, 다른 분들은 어떻게 할 것인지 그리고, 진짜 연애에 있어서 돈 혹은 계급이 존재하는지, 그러한 부분들을 고려하며 만나는지도 솔직한 이야기를 나눴습니다.

결론은, 다수의 사람이 상대방이 여주인공처럼 회피형 대처 방식을 보인다면, 남자 주인공처럼 이상하리만큼 여자 주인공에게 집착하지 않을 거라는 거였습니다. 오히려, 그러한 여주인공보다는 남자 주인공을 좋아한다고 했고,

사랑에 적극적인 서브 여주인공(계장과 사귀게 되고, 이별을 당함)을 택했을 것이라는 의견이 많았습니다.

그리고, 다수가 '사랑에 있어서 돈이 없으면 안 되지만, 그것이 전부인 것도 아니라고 생각한다.'라는 의견이 지배적이었습니다. '호감이 있는 상대여야, 경제력이 어느 정도 가점이 되는 것이지, 경제력으로 인해 호감이 결정되진 않는다.'라고 말이죠.

반면, 소수는 또 다른 의견을 내놓았습니다. "근데, 돈이 전부는 아니지만, 돈이 없으면 헤어지는 것도 현실이에요. 연애할 때만 해도, 데이트 비용 등 모든 것에 비용(돈)을 내잖아요. 돈이 없다면, 데이트의 방식에도 영향을 미치고, 그 영향이 너무 크다면, 그것을 이유로 헤어지기도 하잖아요."라고 말이죠. 우리는 이분들의 의견에도 어느 정도 동의했습니다. 사랑에 있어서 사랑과 돈 중 어느 것이 더 큰 비중을 차지하느냐에 따라 사랑의 모습이 달라질 뿐이었습니다.

20대·30대가 모여서 그런지 사랑이라는 주제로 대화를 나눌 때, 가장 활발하고, 즐겁게 대화를 나눴던 것 같습니다.

07. 2030에게 사랑과 결혼의 의미 2.

책을 통해 만난 이야기 5.

오늘은 덥지도 않고, 쌀쌀하지도 않은, 딱 책 읽기 좋았던 계절 '봄'에 읽은 책 '달러구트의 꿈 백화점'을 통해 나눈 이야기를 들려드리려고 합니다. 달러구트의 꿈 백화점은 말 그대로, 꿈 백화점이라는 가상의 세계에서 이루어지는 다양한 에피소드들로 이루어진 내용입니다.

책의 내용을 간단히 소개하면 다음과 같습니다. 「현실 세계의 사람이 잠들면, 꿈의 세계, '달러구트의 꿈 백화점' 이라는 가상 세계로 흘러 들어가게 됩니다. 이 세계는 현실처럼 다양한 상점들이 즐비하고, 그중에서 가장 장사가 잘되는 곳이 '달러구트 꿈 백화점'이라는 가게입니다.」 달러구트 꿈 백화점에 채용된 신입 직원 '페니'의 시점에서 저마다의 짧은 에피소드가 진행되는 형식입니다.

좋아하는 사람을 꿈에서 만난다는 것

달러구트의 꿈 백화점의 이야기 중에서 저희가 나눴던 주제는 달러구트 꿈 백화점을 방문한 28살 직장인 여성에 대한 이야기였습니다.

에피소드의 여성은 현실 세계에서는 평범한 직원입니다. 매일 일-집-일-집을 반복하던 어느 날, 그녀의 마음에 호감 가는 남성이 생깁니다. 그녀의 무의식에 사랑이라는 감정이 들어찼고, 그 무의식 때문에 그녀는 달러구트 꿈 백화점을 방문할 때마다, 좋아하는 사람이 나오는 꿈만 반복해서 구매하게 됩니다. 이 여성 손님을 본 꿈 백화점 신입 직원 '페니'는 한 가지 걱정을 하게 됩니다. "좋아하는 사람이 나오는 꿈을 자주 꾸면, 그건 무의식일 뿐인데, 계속 이런 꿈을 팔아도 되는 걸까?"라고 말이죠. 그래서, 페니는 꿈 백화점 사장인 달러구트에게 이러한 고민에 관해 이야기합니다. 페니의 고민을 들은 달러구트는 "좋아하는 사람의 꿈을 꾸다 보면, 그 사람을 좋아하고 있다는 것을 현실에서도 깨닫게 됩니다. 깨닫기 시작한 순간부터 진짜 사랑이 시작된다."라고 답합니다. 28살 여성 손님이 짝사랑하는 남자는 그녀와 업무적으로 자주 보는 타 회사의 남자 직원입니다. 이 남자 역시, 달러구트 꿈 백화점을 방문하는 손님 중 하나였습니다. 그는 달러구트 백화점을 방문할 때마다 '헤어진 여자친구가 나오는 꿈'을 꾸준히 구매해 갔습니다. 그리고, 2년이 흐른 지금 그가 다시 달러구트 꿈 백화점을 방문했을 때는 그가 새로운 사랑을 시작해도 괜찮은지 확인하기 위한 목적으로, '헤어진 여자친구가 나오는 꿈'을 다시 사게 됩니다. 꿈을 꾸고 난 후 그의 감정은 전 연인에 대한 애틋함, 슬픔보다는 그녀를 잊지 못한 자신에 대한 짜증의 감정이었습니다. 그는 이 꿈을 통해 더 이상 과거의 연인을 사랑하지 않는다는 것을 깨닫게 됩니다. 달러구트는 이러한 그의 무의식 상황을 알고, 그에게 '설렘'이라는 선물을 줍니다. 설렘이라는 감정을 선물 받은 그는 현실에서 28살 여성 손님의 적극적인 표현을 통해 둘의 사랑이 이어진다는 이야기입니다.

직장인들의 사랑

달러구트 꿈 백화점의 에피소드를 소개하며, 다음과 같이 말했습니다. "직장 생활을 하면서 사람을 만나는 일,

알아가는 일, 사랑을 시작하는 일, 함께 시간을 보내는 일 등과 같은 일이 점점 더 어렵게 느껴집니다. 다른 분들도 그렇지 않으신가요? 그와 더불어 설렘이라는 감정도 무뎌지는 것 같아요. 다른 분들은 어떠신가요? 오늘은 사랑과 연애에 관해서 이야기를 나눠보려고 해요." 이후 한 사람씩, 이 질문에 관해 이야기를 시작했습니다.

"맞아요. 일을 하다 보면, 시간도 잘 안 날뿐더러. 회사에 쏟는 에너지가 많아서, 다른 것을 할 여유가 사라지더라고요. 여유가 없으니, 사람을 만나기도 어려운 게 현실이죠. 사실, 사람을 만난다고 하더라도, 사회생활을 하기 전처럼 열정적으로 시간과 에너지를 쏟기도 어렵고요."

"저도, 공감해요. 일에 치이다 보면, 여유가 없어지고, 책에 나온 28살 여직원처럼 퇴근하고, 얼른 집에서 쉬고 싶지, 연애나 다른 사람과의 관계에 시간을 쓰고 싶지 않더라고요."

"저는 아직은 설렘이란 감정을 자주 느끼는 것 같아요. 다른 분들은 어떠세요?"

"저는 몇 번의 연애를 하다 보니, 설렘이란 감정에도 무뎌지는 것 같은 느낌이에요. 그와 마찬가지로, 이별했을 때 마음에 상처도 받고, 슬퍼하는 건 똑같지만, 처음 이별을 했을 때처럼 그 슬픔의 크기가 아주 크거나, 슬픔의 지속시간이 길진 않은 것 같아요. 이별에 대한 슬픔도 무뎌지는 것 같더라고요."

"그런가요? 저는 설렘은 잘 모르겠지만, 이별의 슬픔은 몇 번을 반복해도, 똑같이 아프고, 힘든 것 같아요." 등의 이야기들이 이어졌고, 저희는 한참 동안 이와 관련한 이야기가 이어졌습니다.

수많은 대화를 나누며, 제 나름대로, '책이 전하고자 한 메시지는 무엇일까? 그리고, 나에게 있어서 사랑은 무엇일까?' 생각해 봤습니다. 책이 전하고자 한 메시지는 아마도, '우리의 감정이 무뎌지고 있다. 그러나, 무의식의 세계를 통해서 잊었던 감정을 떠올리고, 회복하고, 치유하는 시간을 갖자.' 이것이 책이 하고 싶은 이야기였던 것 같습니다.

제2부. 내향형 인간의

모임 정복기

08. 진행자 한번 해볼래? 1

모임 그리고 뜻밖의 제안.

내향형 인간의 관계 방식

사람은 낯설거나 불편한 상대를 만나면 외향형이냐, 내향형이냐 와 관계없이 낯을 가리기 마련입니다. 상대가 편한 사람일 경우에는 자신의 외향적이고, 자연스러운 모습을 드러내기 쉽습니다. 반대로, 불편한 상대방 혹은 상황일 경우에는 소극적인 모습을 보이고, 본인의 본모습보다 어색한 모습을 보입니다.

저 역시, 낯을 가리는 편이었고 낯선 상황에서는 낯가림이 더 심하게 나타났던 사람이었습니다. 그래서, 저에게 편한 상대방 혹은 상황일 경우에는 외향적인 모습을 보이고, 저에게 불편한 상대방 혹은 상황일 경우에는 내향적인 모습을 보였습니다.

즉, 상황에 따라 저의 모습은 의도치 않게 바뀌곤 했습니다. 모임을 하기 전엔 대체로 내향적인 모습을 띠며, 생활했습니다. 일상은 단순했고, 인간관계를 맺는 방식은 굉장히 좁고, 깊은 관계 방식을 선호하며 살았습니다. 좁고, 깊은 인간관계를 선호했던 이유는 얕고, 넓은 관계를 유지할 체력과 정신력이 되지 않는 사람이란 걸 알았기 때문입니다.

내향형 인간 낯선 환경에 몸을 던지다.

그런 제가, 겨울 초입쯤 한 가지 결심을 했습니다. "계속 이렇게 살 수 없어. 이 상태로, 나이만 먹는 건 너무 끔찍한 일이야. 이제는 뭐라도 해야 해!"라고 말이죠. 그리고, 그 돌파구로 찾은 것이 독서 모임이었고, 모임을 통해 변화가 시작되었습니다. 처음에는 낯선 불특정 다수와 어울리는 것이 무척 겁나고, 걱정이 많았습니다. 하지만, '걱정된다고 아무것도 안 하면 영원히 아무것도 못 할 것 같다.'라는 생각이 들어서 용기를 냈습니다. 옛말에 '천 리 길도 한 걸음부터'라는 말이 있는데, 정말이었습니다. 첫 시작이 어려웠지, 한 번이 두 번이 되고, 두 번이 열 번이 되고, 그렇게 무수히 많은 활동을 하게 되었습니다. 그 결과 저는 모임장이라는 역할도 경험할 수 있었습니다.

내향형이며, 깊고 좁은 인간관계만 맺은 사람이 어떻게 모임장이라는 역할을 수행할 수 있었을까 생각해 보면, 모임 활동을 하면서 제가 조금씩 외향적인 성향으로 바뀌었기 때문이었습니다. 낯익은 얼굴들 그리고, 친해진 사람들이 생기자, 저의 원래 모습이었던 외향적이고 자연스러운 모습이 드러나기 시작했던 것이었죠. 그리고, 그 모습 덕분에 모임장이라는 역할도 제안받을 수 있었습니다.

평생 누구 앞에 나서는 것을 별로 좋아하지 않았던 사람이 모임 활동을 통해서 처음으로 '리더'의 자리에서 사람들과 모임을 운영하는 경험을 할 수 있었습니다. 이것만으로도 내향형이었던 저에게는 정말 크나큰 발전이었습니다.

어떤 사람은 이렇게 말할지도 모르겠습니다. "대단한 학위를 취득한 것도, 자격증을 취득한 것도 아닌데, 모임 진행하는 것이 뭐 그리 대단한 거냐? 막상 들어보니까 별것도 없던데?"라고요. 하지만, 취미로 시작한 일이 '일'이 되고, 그것을 통해 '돈'을 버는 것. 그 자체가 이미 전문가로 인정받았다는 말 아닐까요?

모 연예인이 방송에서 한 말을 빌려 이야기하자면, "돈 받는 순간 신입이냐 10년 차냐 그런 것 상관없어. 이미, 프로인 거야."라고. 이 말은 선배 연예인이 후배에게 해준 응원의 말이었는데요. 저는 이 말이 그렇게 와닿더라고요. 연차와 직급에 관계없이, "너도 돈 받고 일하는 사람이니 우리는 같은 프로고, 경쟁 관계야."라고 후배를 인정해 주는 말처럼 들렸거든요.

이 말처럼 어떤 일에 대해 개인의 재능을 제공하고, 그에 대한 대가로 값을 지불받는다면, 이미 프로라고 생각하는 것이 맞습니다. 연차, 전문 자격 및 지식이 있으면 더 좋겠지만 그것이 아니라도 수많은 직업이 존재하고, 다양한 분야의 전문가가 존재하는 것처럼 말이죠.

이런 과정을 통해서 저는 때때로 자부심을 느끼기도 하고, 책임감을 느끼기도 하면서 조금씩 성장해 나갈 수 있었습니다.

좋아하는 일, 잘하는 일,
나를 필요로 하는 일을 찾다.

모임도 마찬가지였습니다. 처음에는 다양한 사람들을 만나고 싶었고, 퇴근 이후에 제게 긍정적인 영향을 줄 수 있는 좋은 취미 활동을 하고 싶었습니다. 그리고, 이왕이면 그 취미 활동이 '내가 좋아하는 것, 내가 잘할 수 있는 것이었으면 좋겠다.'라는 생각에서 시작했습니다.

모임을 하면서, 수많은 사람을 만났고, 그 과정에서 스스로 오랫동안 감춰져 있었던 밝은 면모와 외향적인 모습, 사회성, 사교성 등의 모습을 발견할 수 있었습니다. 그리고, 그 모습은 여러 사람의 눈에 띄기 시작했습니다. 저 역시, 처음에는 좋아하는 활동으로 시작했지만, 다섯 번째쯤 활동하고 나서야 안 것이 있습니다. "아, 내가 진짜 하고 싶은 일, 그리고 직업은 여기에 있다. 그리고, 나 이거 정말 잘할 수 있을 것 같은데?"라고 말이죠. 제가 이렇게 확신할 수 있었던 건 이전에 경험했던 수많은 직업과 비교를 통해서 알 수 있었습니다.

이전에 경험한 직업에서는 많은 돈을 준다고 해도, '아, 정말 하기 싫다. 절대 못 할 것 같다. 괴롭다.' 등의 감정에 빠져 있었습니다. 그런데, 독서 모임에서의 활동은 '아 재밌다. 돈 하나도 못 벌어도 신난다. 그리고, 진짜 내가 잘하는 영역이구나!'라는 생각이 들었습니다.

'이 일은 나에게 맞는 일이다.'라고 확신할 수 있었던 또 다른 이유는 독서 모임에서 진행자와 모임장 등 다양한 역할을 하면서, 수많은 사람이 저에게 "정말 진행을 잘하시네요. 진행하는 모습이 제일 눈에 띄어요. OO 님이 하는 조에서 진행하는 걸 들어보고 싶어요."와 같은 좋은 이야기와 피드백을 많이 들었습니다. 이러한 말속에서 '나는 이곳에 필요한 존재구나. 나의 역할은 사람들에게 도움이 되는 중요한 역할이구나.'라는 생각을 하게 되었습니다. 이러한 경험과 이유가 모여 내향인으로 살아오던 제가 새로운 모습으로 살아갈 계기가 되었습니다.

내향인의 방향 전환

저는 원래부터 내향인이 아니었습니다. 살아가면서 겪은 몇 가지 경험과 사건이 저를 내향인으로 만들었습니다. 그리고, 저 자신을 보호하기 위해 내향인으로 살아가는 삶을 선택했습니다. 꽤 오랫동안 저의 본모습이 아닌, 저를 보호하기 위해 선택한 내향인으로 사는 삶을 살아오다 보니, 어느 순간 제가 원래부터 내향형 인간이었다는 착각까지 하게 되었습니다.

하지만, 외향적인 모습은 감춰져 있었을 뿐이었습니다. 내향형 모습으로 살아가는 동안에도 저는 여전히 사람을 좋아했고, 여러 사람과 좋은 관계를 맺는 걸 좋아했기 때문입니다. 제가 외향적인 모습이 감춰져 있다고 주장하는 이유는 어린아이일 때부터 "너는 말 하나는 청산유수다." 라는 말을 어른들에게 자주 들었습니다. 그리고, 극 내향인으로 살아가던 학창 시절에도 내향적이었지만, '교내 아나운서 활동, 대학교 조별 모임에서 발표를 맡고, 체육 실기 평가에서 좋은 점수를 얻어 학교 축제 무대에서 무용을 선보이는 등'의 활동은 늘 해왔기 때문이죠. 이런 활동은 외향적인 면모가 없다면 불가능한 일이잖아요. 지금까지 저 스스로 이러한 재능을 재능이라고 생각하지 않았을 뿐이었습니다. 이런 제가 우연히 시작하게 된 활동을 통해서 숨어 있던 제 본모습이 자연스레 드러났던 것 같습니다.

단순히 좋아하는 활동을 한다고 해서, 없던 재능이 나타나거나, 없던 성향이 나타난 것이 아니었던 거죠. 감추어져 있던 것이 계기를 통해 되살아 난 것이었습니다. 이 계기로, 저는 외향인의 모습으로 살아가게 되었고, 제가 하고 싶었던 다양한 경험을 할 수 있었습니다.

09. 진행자 한번 해볼래? 2

모임 그리고 뜻밖의 제안.

모임으로 꿈에 가까워지는 법

저는 평소에 늘 습관처럼 생각하는 문구가 있는데, 그 문구는 다음과 같습니다.

'같은 것을 보아도 사람마다 느끼는 것이 다르다. 같은 것을 배워도 얻어 가는 것이 다르다.'

제가 이 문구를 습관처럼 생각한 이유는, 같은 사람이 같은 행동을 하는데도, '누가 보느냐, 어떻게 받아들이느냐'에 따라 전혀 다른 결과와 평가가 내려지는 경우를 무수히 봤기 때문입니다. 저에게 독서 모임이 그랬습니다. 어떤 사람에게는 그저 친목 활동 혹은 사교 활동 혹은 취미 활동 정도일 독서 모임이 저에게는 저의 직업과 미래가 그려지는 청사진과 같은 활동이었습니다.

독서 모임을 청사진으로 그리게 된 건 2017년으로 거슬러 올라갑니다. 그 당시 제 인생에서 가장 힘들 때였는데요. 그때, 유튜브를 보다가 우연히 책과 관련된 영상을 본 것이 저의 청사진이 되었습니다. 지금 생각해 보면, 그 영상이 우연히 눈에 띈 것이 아니었습니다.

어렸을 때부터 책을 좋아했고, 평생 책을 읽어왔기 때문에, 그 영상이 눈에 띄었던 거였습니다. 당시 저는 매일 그 영상을 보고, 살아갈 힘을 얻었는데요. 힘든 시기를 극복하려고 지푸라기라도 잡는 심정으로 미친 듯이 책을 읽고, 생각을 정리하던 때이기도 했습니다. 그러면서, 저도 모르게 제 마음 한편에 위와 같은 생각이 자리 잡았던 것 같습니다.

'나도 책과 관련된 일을 하고 싶다.' 정말 막연한 생각이죠. 책과 관련된 유튜브를 하고 싶었던 것인지 아니면, 당시에 전국적으로 유행했던 저자들의 독서 모임을 운영하고 싶었던 것인지, 그도 아니면, 글을 쓰는 작가가 되고 싶었던 것인지. 아무것도 몰랐습니다. 그저, 막연하게 '책과 관련된 일을 하고 싶다.'라는 생각이 가슴 한편에 자리 잡았던 것 같습니다.

사람은 결국 하고 싶은 일에 도달한다.

그리고, 5년이란 시간이 흘러, 결국 제가 도달한 곳은 '독서 모임'이었습니다. 모임을 시작할 당시만 해도, 그저 막연한 감정으로 시작했습니다. 하지만, 시작하고 나서야 '이 모든 건 우연이 아니었을지도 모른다.'라고 생각했습니다. 아무것도 모른 채, 무언가에 이끌리듯 시작한 활동이, 시작한 지 얼마 지나지 않아서 '제가 나아갈 방향을 자연스럽게 그리게 되었습니다.' 그리고, 그 과정에서 여러 가지 행운도 따랐습니다.

당시에, 제가 참여한 독서 모임은 외향형도 외향형이지만 극 외향형의 진행자들이 다수 포진해 있는 모임이었습니다. 그리고, 회원도 외향적인 사람이 많은 모임이었습니다. 내향인이었던 저는 그들 틈에서, 조용히 적응해 나갔습니다. 모임에 적응하고 난 후부터, 모임 활동이 편하고, 즐겁게 느껴졌습니다. 그리고, 감춰졌던 저의 외향형 모습이 드러나기 시작했습니다. 그리고, 얼마 지나지 않아서 좋은 제안을 받게 되는데요. "OO아, 진행자 한번 해볼래?" 라고 말이죠.

학창 시절에도 해본 적 없던 동아리 활동과 같은 모임 활동을 사회생활을 하면서, 시작할 줄이야. 그리고, 취미로 시작한 모임 활동을 통해 진행자라는 역할을 제안받을 줄은 전혀 예상하지 못했습니다.

모임에서 진행자를 볼 때면, '재밌겠다. 나도 잘할 수 있을 것 같은데? 해보고 싶다.'라고 생각했습니다. 그러다, 얼마 지나지 않아서 정말 진행자를 제안받게 되었죠. 당시에 제가 속한 모임은 외향형 진행자들이 90%였고, 어쩌면 뜨내기 회원에 불과했던 제가 진행자가 되기에는 여러모로 어려운 상황이었는데도 불구하고, 이례적인 제안을 받았던 것 같습니다. 지금 생각해 보면, 외향형이나 내향형이냐보다는 술을 마시지 않고도 사람들과 재밌게 어울려 놀고, 즐겁게 활동한 사람이었기에, 이러한 제안을 받을 수 있었던 것 같습니다.

이러한 상황에서 기다렸던 제안을 받는 것은 너무나 재밌고도 즐거운 일이었습니다. 그리고, 저는 기다렸던 제안을 받자마자 1초의 고민도 없이 제안에 응했습니다. 가벼운 마음으로 진행자 제안에 응한 이후, 저는 꽤 다른 사람이 되어 있었습니다. 1년에 가까운 시간 동안 진행자를 하고, 모임장을 맡고, 또 저만의 모임을 만들어서 모임을 운영하게 되었거든요.

10. 두근두근 첫 진행

사람들이 즐겁다면, 나도 즐거워!

진행자는 불특정 다수 앞에서 말하는 사람

여러분은 불특정 다수 앞에서 이야기하는 것을 편하게 느끼나요? 불편하게 느끼나요?

저는 반반이에요. 불편함을 느끼면서, 재미도 함께 느끼거든요. '강연을 직업으로 하는 강연가분들도 저와 똑같지 않을까?' 생각해요. 불특정 다수 앞에서 이야기하는 것이 직업인 사람은 대중 앞에서 말하는 것에 대한 불편함보다는 즐거움, 희열, 보람을 느껴야 지속할 수 있는 직업이라고 생각합니다.

대중 앞에서 말하는 것이 불편하고, 어렵게 느낀다면 강연을 직업으로 유지하는 건 불가능한 일입니다. 오늘 이렇게 '불특정 다수 앞에서 이야기하는 것'을 주제로 삼은 이유는 제가 꾸준히 참여하고 있는 독서 모임에서도 진행자의 역할이 불특정 다수 앞에서 말하는 것과 같기 때문입니다.

항상 회원으로 참석을 하다가 한 달째 되던 날 제안이 왔어요. "진행자 한번 해볼래?"라고요. 내향인이었던 저는 내향적인 성향과는 달리, 사람들 앞에서 이야기하는 것을 좋아하는 사람이었습니다. 게다가, 저는 대화의 상대방이 설령 처음 보는 낯선 사람이어도, 그 사람과의 대화가 즐거웠다면, 대화 그 자체만으로도 하루 중에 쌓인 스트레스가 확 풀리는 사람이었습니다.

내향인임에도 남들과 다른 저만의 이런 성향 덕에 진행자의 역할을 제안받았는지도 모르겠습니다. 진행자의 역할을 제안받았을 당시, 저는 오히려, 진행자 역할에 대한 '싫음과 부담감'보다는 '기대와 즐거움'의 감정을 더 크게 느꼈습니다. 저의 이런 모습이 진행자의 역할과 딱 들어맞았던 것 같습니다.

딱 들어맞는 제안을 받은 내향인

오랫동안 극 내향인으로 살다가, 이런 제안은 저에게 즐거움과 기대감을 주었습니다. 즐거움과 기대감으로 가득 찼던 저는 그 마음 그대로, 첫 진행 역시 즐겁게 준비했습니다. 첫 진행에 앞서, 불안하고, 부담감을 느끼기보다 '다른 사람들에게 좋은 경험을 주고 싶다.'라는 마음으로 독서 모임 진행을 준비했습니다. 평소와는 달리 모임 장소에 30~40분 정도 일찍 도착해서 모임 진행을 준비했습니다.

모임원들이 한 분씩 자리에 앉았고, 이후 저마다 읽고 싶은 책으로 독서하기 시작했어요. 저는 평소보다 더 몰입해서 책을 읽어 내려갔어요. 그러면서, '발제문으로 어떤 내용을 하면 좋을까?' 생각했죠. 읽으면서, 내 마음에 가장 와닿는 내용을 발제문으로 정리했어요. 그러는 사이 어느덧 개인 독서 시간이 끝났습니다. 책에 빠져 있던 모두가 현실로 돌아와서 쉬는 시간 동안 서로 편하게 대화를 나누며 쉬었어요.

아주 잠깐의 휴식 시간이 지나고, 발제문에 관해 이야기를 나누는 시간이 이어졌습니다. 처음 오는 분들 혹은 몇 번 오셨던 분들도, 발제문 시간에는 꽤 많이 긴장하는 모습을 보이곤 하는데요. 대부분 내가 읽은 책에 관해 설명하고, 다른 이의 발제문을 듣고, 필요한 질문을 하는 것이 부담스러워서인 경우가 대부분입니다. 조원이 긴장하는 모습을 볼 때면 저는 항상 이렇게 이야기하곤 합니다. "너무 잘할 필요 없어요. 다들 어렵기는 마찬가지일 거예요. 못하셔도, 제가 잘 진행해 볼 테니 걱정하지 마세요." 그러면, 긴장하던 분들의 표정에서 안도감이 스쳐 지나가요. 저는 이렇게 긴장을 풀어드리고 난 후, 누가 먼저 발제문을 이야기할지 살짝 농담 섞인 투로 물어봅니다. 대부분은 "제가 먼저 하겠습니다."라고 이야기하지 않는 걸 알지만, 저는 이 말 역시 아이스브레이킹처럼 하는 질문이었어요.

분위기가 어느 정도 부드러워지면 저는 이렇게 말합니다. "오늘 먼저 시작할 분은 아무도 없으신 거 맞죠? 그럼, 제가 먼저 시작할게요. 대신, 제 감상평 듣고 나서 질문은 꼭 한 분씩 다 해주셔야 해요~ (웃음)"라고 말이죠. 그러면, 다들 웃어 보이면서, 제가 하는 감상평에 귀를 쫑긋 기울여 주시곤 합니다.

이렇게 짧게는 10분에서 길게는 15분 정도 제 감상평과 함께 발제문을 소개해요. 그리고, 한 분 한 분 이야기를 나누는 시간을 가집니다. 다들 처음엔 수줍어하시다가도, 저의 감상평을 듣고 나서 질문할 거리가 마구 샘솟는다는 듯 사뭇 진지한 표정으로 여러 가지 질문을 해주시곤 하는데요. 저는 이렇게 관심을 가지고 질문해 주는 분들을 보면, 감사함을 느낍니다. 그분들 덕분에 신나서 해당 질문에 대해 답변도 하고, 다른 분들과도 주제에 대해 열띤 이야기를 주고받기도 합니다.

이렇게 제가 시작을 하면, 다음 분들도 자신의 차례에 대한 긴장감 대신 "얼른 나도 이야기하고 싶다."라는 표정을 지어요. 그렇게, 한 분 한 분 빠짐없이 최대한 자신의 감상평과 발제문에 관해 이야기할 수 있도록 진행합니다. 이 과정에서 저도 다른 사람들의 이야기를 들으며 신나게 웃기도 하고 다른 분들도 저의 이야기를 들으며 반대로 장난식으로 농담을 던지기도 했어요. 이렇게 화기애애하고 재밌는 시간을 갖다 보면 '언제 이렇게 시간이 흘렀나?' 하는 생각이 들 때가 많아요.

물론, 저의 처음은 긴장도 하고, 진행을 잘하고 싶어서 미리 준비도 했습니다. 그렇지만 이렇게 노력했던 시기가 있었기에 나중에는 재밌는 분위기에서 모임을 진행하는 진행자가 되었습니다. 그리고, 즐거웠던 기분과 경험이 쌓여서 제가 오랫동안 진행자로 활동할 힘과 원동력이 되었습니다.

11. 내향형이어도 진행자가 될 수 있는 이유

그 첫 번째 비법.

리더 혹은 진행자의 중요한 덕목

"여러분은 타인 앞에서 주도적으로 이야기를 하고, 상황을 이끄는 리더 혹은 진행자의 가장 중요한 덕목은 무엇이라고 생각하나요?"

대부분 사람은 두말할 것 없이 '외향적인 성격, 말 잘하는 것, 리더십' 이 세 가지를 리더 혹은 진행자의 중요한 덕목으로 꼽을 거예요. 누군가를 이끌거나, 주도적으로 상황을 이끌어가려면 위 세 가지 덕목이 필요하기 때문이죠. 지난 1년간 진행자로서, 리더의 역할을 경험한 저로서는 위 세 가지 덕목보다 더 중요한 것이 있다고 말씀드리고 싶어요.

수많은 독서 모임 진행을 경험해 본 결과 진행자 혹은 리더에게 정말 필요한 자질은 '경청'하는 자세였습니다. 보통의 사람들은 생각할 거예요. "진행하려면, 진행자가 말을 잘하고, 말을 많이 해야 하는 것 아니에요?"라고 말이죠. 하지만 제가 직접 진행을 해보니, 사람들은 진행자가 말을 많이 하는 걸 별로 좋아하지 않았어요.

간혹 진행자가 말을 많이 해야 하는 상황이 있는데, 진행 상황이 원활하지 않았을 때 외에는 진행자가 말을 많이 하는 건 좋지 않더라고요. 왜냐하면, 모임에 참여하는 분들도 그날의 모임이 편하고, 즐겁게 느껴진다면, 자신의 이야기를 많이 하고 싶어 하기 때문입니다. 다들, 이런 경험 한 번쯤 해보셨을 거예요. 편한 분위기 그리고, 즐거운 분위기에서는 말이 술술 나오고, 사람들이 모두 내 말에 귀 기울여 들어주면, 더 신나서 말을 많이 하게 되는 경험이요.

모임에 참석하는 분들도 이와 똑같은 마음이에요. 게다가 여섯 명이 함께 대화를 나누다 보면, 나 혼자서 말을 독점할 수 없기에, 내가 말하는 시간이 기다려지고 내가 말할 차례가 오면 그 시간만큼은 내 말만 하고 싶어 하기 때문입니다. 그런데, 진행자가 진행자랍시고, 다른 사람의 말은 듣지 않고 혼자만 신나서 말을 독점한다? 그러면, 대부분의 모임원은 이렇게 느낄 거예요. '저 사람 뭐야. 혼자만 신났네. 나도 말하고 싶은데…. 다음부터는 오지 말아야지.'라고 말이죠.

리더의 가장 큰 장점은 경청하는 자세

제가 내향형이었지만, 진행자로서 활동할 수 있었던 이유. 제가 만든 모임의 모임장이 되는 일. 또, 제가 취미로 참석했던 독서 모임에서 모임장을 맡을 수 있었던 이유는 제가 리더 기질을 갖고 있고, 말을 특출나게 잘해서가 아니었어요. 제가 이러한 역할을 맡을 수 있었던 건, 다른 사람의 말을 진심으로 들을 줄 아는 능력이 있었기 때문이에요.

저는 제가 진행자였지만, 항상 다음과 같은 생각을 하며 모임에 임했어요. "나는 이전까지 독서 모임 진행을 한 번도 해본 적 없으니, 내가 말을 많이 하기보다 다른 사람의 말을 잘 들어주자." 그리고, 실제로도 저의 장점인 경청하기 덕분에 진행을 맡은 첫날도 그다음 번도 그 다다음 번도 늘 모임을 편안하게 진행할 수 있었어요.

그리고, 다른 분들도 제게 모임이 끝난 후 이렇게 이야기해 주시더라고요. "OO님은 정말 말을 잘 들어주시는 것 같아요. 그래서, 항상 존중받고 있다는 느낌이 들어요." 처음 진행하는 저에게 이런 진심이 담긴 말은 너무나 감사하고, 힘이 되는 말이었어요. 그리고, '내가 진행하는 방식이 제대로 된 방식이구나.' 하며, 확신을 얻을 수 있었어요.

살아가다 보면 '내 이야기를 잘 들어주는 누군가가 필요하다.'라는 생각이 들 때가 한 번쯤은 있을 거예요. 저도 마찬가지고요. 저는 제 말을 누군가 잘 들어주었으면, 좋겠다는 생각을 늘 하고 살아서인지, 내가 받고 싶은 것을 타인에게 먼저 해주고 있었더라고요. 즉, 누가 내 말을 들어줬으면 하고, 바랐기 때문에, 항상 제가 먼저 다른 사람들의 말을 귀 기울여 들어주고 있더라고요. 이러한 태도와 자세가 내향형임에도 불구하고, 저를 모임장이자 진행자로 활동할 수 있게 만들어 준 원동력이 아닐까? 해요.

말을 잘 듣는다는 것의 의미

다른 사람이 말할 때, 딴짓하지 않고, 상대방의 눈을 바라보며, 그의 이야기에 집중하는 것을 말해요. 요즘에는 사람들과 함께 있어도, 서로에게 집중하며, 대화하기보다, 혼자만의 생각에 빠져들거나, 휴대전화만 바라보며, 이런 저런 영상이나 매체를 보는 경우가 대부분이죠.

이런 경우, '함께 있어도, 따로 있다.'가 맞는 표현인 것 같아요. 혹자는 이렇게 말할지도 몰라요. "한 공간에 있는 것 그 자체만으로 중요한 거 아니야? 각자의 시간과 하고 싶은 것을 존중하는 것도 중요하지!"라고 말이에요.

저는 이 말에도 어느 정도 공감하지만, 한 번 더 생각해 보면, 다른 결론에 이르더라고요. 제가 한 가지 질문을 할게요. "만약, 여러분이 정말 매력적인 이성 혹은 정말 재밌는 친구와 함께 있으면, 서로에게 집중 안 하고, 딴짓하거나, 멍하게 있거나, 휴대전화만 볼 것 같으신가요? 아닌가요?" 제가 한 질문에 제가 먼저 답하자면, 저는 아니거든요.

결국 누군가와 함께 할 때 보이는 태도는 나의 흥미와 관심도에 따라 달라진다고 생각해요. 저는 사람을 좋아하다 보니, 늘 상대와 대화할 때는 상대방에게 관심과 호의를 갖고 대화합니다. 그렇다 보니, 다른 사람들에 비해, '경청한다. 집중한다.'라는 느낌을 상대가 잘 느끼죠. 실제로도 "말을 참 잘 들어주세요."라는 말을 많이 들었어요.

경청은 상대방에게 관심을 갖고, 상대의 말을 존중하며, 잘 들어주는 것을 뜻해요.

상대방이 말할 때, 머리로는 딴생각하거나, 동의하지 않으면서 끄덕이거나, 관심이 없는 상태로 듣는다면, 이야기하는 상대방은 당연히 '아, 이 사람. 지금 내 말 안 듣고 있구나? 혹은 내 말을 재미없어하는구나?'라고 단번에 알아차리죠. 여러분도 분명, 이러한 경험이 있을 거예요. 그렇기에, 저는 모임을 하면서 항상 모든 조원의 말에 귀를 기울이며 들어요. 진행자가 '내 말을 잘 들어줘야, 더 이야기하고 싶을 것'이라고 생각하기 때문이죠.

또 제가 이렇게 잘 들어주기 때문에, 다른 조원분들도 제 말을 귀 기울여 들어주는 것 같아요. 그래서, 늘 대화가 즐겁고, 모임이 끝나고 나면, 좋은 에너지를 얻는지도 몰라요. 이것이 제가 생각하는 저만의 진행자 혹은 리더의 첫 번째 자질이자, 가장 중요한 덕목이라고 생각해요.

내 말에 별 관심 없는 사람이 진행자이거나, 리더 혹은 가까운 지인이어도 정말 별로지 않나요? 그래서, 저는 경청을 가장 중요하게 생각하게 되었고, 제가 모임장이 된 첫 번째 비법으로 손에 꼽는 이유예요.

12. 좋아하는 일을 해도 힘든 건 같아요.

좋아하는 일이 힘들고, 싫은 당신에게

좋아하는 일을 하면 행복할까?

"좋아하는 일만 하고 산다면 정말 행복하기만 할까요?" 여러분의 생각은 어떤가요? 먼저, 제 경험에 빗대어 답하자면, '모든 일은 한 가지 측면만 갖고 있지 않다.'라고 말하고 싶습니다. 어? 이게 무슨 소리지? 할 수도 있을 것 같아요. 사실 저는 늘 긍정적인 측면 그리고 상상력을 갖고 세상을 바라보려고 노력하며 살아가는 사람이에요. 세상을 상상으로 가득 채워 바라보면, 조금 더 재밌기도 하고 행복하기도 하거든요. 가끔은 이런 상상력이 실제 현실과 맞지 않은 것에도 발휘되곤 해요.

그 예로, '정말 돈 걱정이 없어진다면, 모두가 각자 하고 싶은 일을 하고 산다면 다들 행복할까?' 생각을 해봤습니다. 저는 이런 생각을 제 삶에도 적용해 봤습니다. 그리고, 하나의 결론을 내렸습니다. '아! 어차피 삶은 길어. 내가 살아보고 싶은 대로 한 번 살아보자!'라고 말이죠. 그래서, 저는 불안정한 수입과 불안정한 미래를 견디며, 계속 글 쓰는 삶을 선택하고, 지속할 수 있었습니다.

때마침 제가 하고 있던 독서 모임을 통해서 제가 좋아하는 일과 적성을 발견했기에 이런 선택을 할 수 있었는지도 모르겠습니다. '책을 읽고, 모임을 진행하고, 사람들과 좋은 양질의 대화를 나누고, 그들의 삶에 조금이라도 좋은 순간을 선물하는 것.' 이것이 너무 좋았습니다.

좋아하는 독서 모임이 힘들었던 순간

독서 모임을 한 지 벌써 1년이 다 되었습니다. 한동안 새로운 사람들 그리고, 익숙한 사람을 만나서 그들이 가진 가치관과 그들의 삶을 바탕으로 읽은 책에 관한 이야기를 듣는 일. 그에 관한 이야기를 나누는 것 그 자체가 굉장히 즐거운 일이었습니다. 어쩌면, 답답했던 제 삶의 낙이 되었다. 말할 수 있을 정도였습니다. 하지만, 좋아하는 일을 한다는 것이 영원한 행복과 평안을 보장하는 것은 아니었습니다. 좋아하는 일도 어느 순간이 되자 시들해지기도 하고, 즐거움을 주던 활동이 어느 순간 스트레스로 느껴지는 일이 되어버렸습니다.

또, 늘 좋은 사람들과 발전적인 관계 형성만 할 수 있었던 것도 아니었습니다. 때로는, 불편한 관계가 되기도 했습니다. 또, 사람들이 어울리다 보니 서로 다른 목적을 가진 사람들 간의 갈등 아닌 갈등도 있었습니다. 그러면서, 저는 하나의 결론을 내렸습니다. '아, 좋아하는 일을 한다고 해서, 평생 행복하고 평화로운 마음으로 살아갈 수 있는 건 아니구나.'라는 것을요.

좋아하는 일을 해도, 그 일이 힘들 때도 있고, 잘 안되어서 속상할 때도 있고, 안 좋은 상황의 반복으로 마침내 그 일이 싫어질 수도 있다는 것을요. 좋아하는 일이든, 싫어하는 일이든, 그저, 일하고, 삶을 살아가는 과정에서는 완벽한 만족도, 완벽한 행복감도 없다는 것을 깨달았습니다.

삶의 모든 것은 한쪽에 치우쳐져 좋은 것만 있을 수 없다는 것을 알면서도, 막연히, '좋은 것은 좋은 것만 있을 거야. 나쁜 것은 나쁜 것만 있을 거야.'라고 생각했던 것 같습니다. 그랬기에, 좋아하는 일을 하면서, 이런저런 경험을 하고, 여러 가지 감정을 느끼게 되었는지도 모르겠습니다.

좋아하는 일을 하는데 왜 힘들었을까?

좋아했던 독서 모임이 힘들게 느껴졌던 건 어느 순간 일처럼 느껴졌기 때문입니다. 내 즐거움과 독서라는 '목적'보다는 사람들을 이끌고, 챙겨야 한다는 '사명감과 의무감'에 짓눌려 정작 제가 얻어 가고자 했던 목적은 단 하나도 얻지 못하게 된 순간부터였어요.

물론, 이런 저의 노력으로 모두가 만족했다면, 저는 그것만으로도 충분히 행복했을지도 모릅니다. 하지만, 어디 제 마음과 같나요. 이런 제 마음과는 달리 모임에 나오는 사람들의 목적은 저마다 다른 곳에 있었습니다. 그리고, 저마다의 목적을 가진 사람들이 흘러가는 모습을 보며, 힘들다는 감정을 느끼기도 했습니다.

독서를 독서만으로 즐기기에는 저마다 가진 목적은 다른 곳을 향해 있었고, 그 과정에서 많은 사람이 모임을 스쳐 지나가기도 했습니다. 물론, 모임이란 것이 수많은 사람이 왔다 가는 곳인 것을 압니다. 그럼에도, '이 사람들을 오래 보고 싶다.'라는 마음이 저를 힘들게 만든 원인 중 하나였습니다.

저마다 다양한 이유로 모임에 나오기도 하고, 잠시 쉬기도 하고 그만두기도 했습니다. 그리고, 그 자리에는 또 다른 새로운 사람들로 채워졌습니다. 그 속에서 제가 하는 역할은 늘 똑같았습니다.

'모임에 참여하는 사람들을 잘 챙기는 것. 그날의 모임이 즐거울 것. 이 모임을 통해 사람들이 좋은 것을 많이 가져갈 수 있도록 하는 것.'이었습니다.

어쩌면, 늘 반복적으로 해오던 이 역할이 저 자신을 비롯한 다른 사람에게도 '일'처럼 느껴졌을지도 모르겠습니다. 이렇게 반복적으로 행동하는 저도, 이런 제 모습을 보는 수많은 사람도 '저를 공적인 사람으로 봤을지도 모른다.'라는 생각이 들었습니다.

모임이 있는 날, 모임이 끝나기 전까지는 다들 하하 호호 웃고 즐거운 시간을 보냅니다. 하지만, 모임이 끝나고 나면 저마다의 삶으로 돌아가기 때문에 사적인 접점을 이루어서 조금 더 친밀한 관계를 이루는 것은 어려웠습니다. 저는 독서 모임이 좋았기에, 좋아하는 것을 오랫동안 하려면, '트러블이 없어야 한다.'라고 생각했습니다.

그렇기에, 더욱 공적으로 행동하고 사적인 접점을 만들지 않았습니다. 하지만, 사적인 접점이 너무 없다 보니,

때로는 이 역할을 수행하는 데 힘이 많이 들기도 했습니다. 모임이라는 것이 결국은 사람을 통해 운영되는 것이었기 때문이었죠.

그럼에도 계속하는 이유는….

저는 제가 좋아하는 일로, 저의 일을 하는 것이 꿈입니다. 그렇기에, 1년이라는 시간 가까이 힘든 순간들도 있었지만, 꾸준히 해올 수 있었던 것 같습니다.

여러 가지 요인들과 이해관계가 얽혀, 저의 일을 시작하지 못하고 계속 돌아가는 중이지만 조만간 저만의 길을 걷게 되지 않을까? 생각합니다.

그리고, 힘들게 느껴진 날보다 보람되고 재밌게 느껴지는 날들이 많았기에 취미 활동인 독서 모임을 조금 더 즐겁게 할 수 있었습니다.

13. 빠르게, 많이 실패하라.

저는 이 말의 의미를 몰랐어요.

실패를 너무 두려워했던 사람

"여러분은 실패에 대해 무던하게 생각하는 편인가요? 아니면, 실패를 크게 받아들이는 사람인가요?"

저는 내향형 인간이자, 완벽주의 형 인간이며, 실패를 두려워하는 사람이었습니다. 무언가를 하기에는 부족한 부분이 너무나도 많은 사람이었습니다.

하지만, 어느 순간 이렇게 부족한 제가 사람들을 만나고, 대화를 주고받고, 좋은 경험을 하면서 제 안에 꽁꽁 숨겨두었던 좋은 모습들이 하나, 둘 나오기 시작했어요. 그리고, 지금은 과거에 정말 저런 사람이었다고? 할 정도로 많이 바뀌었습니다. 저를 바꾼 것은 오랫동안 관심 있었던 독서와 관련된 활동을 해보는 것이었어요. 그리고, 우연히 시작한 그 활동이 저의 인생을 완전히 바꿔버렸습니다. 이런 제가 최근에 독서 모임에서 읽은 책 중에 기억에 남는 책이 있어서 오늘은 그 책과 함께 저의 경험에 빗대어 '실패'를 주제로 이야기해 보려 합니다.

빠르게 실패하기

실패를 주제로 읽었던 책은 바로 '빠르게 실패하기'라는 책입니다. 이 책이 나왔을 당시, 저는 실패를 두려워하는 사람이었습니다. 실패가 너무 싫어서, 이 책은 제목만 봐도 읽기 싫은 책이었어요. 그렇게 시간이 한참 흘렀습니다. 여느 날 평소와 다름없이 독서 모임에 참석했습니다. 그날은 제 책을 따로 챙겨가지 않아서, 모임 장소 한편에 있는 책장을 살펴보게 되었어요. 한참 동안 '오늘은 무슨 책을 읽지?' 하며, 고민에 빠져 책장을 살펴보다가 예전에, 눈에 들어왔지만, 외면했던 '빠르게 실패하기'라는 책이 또 한 번 눈에 띄었습니다.

그래서, 이번에는 저자와 목차와 가벼운 프롤로그 등을 꼼꼼히 읽어보았죠. 가볍게 책의 기본 정보를 읽어보니, '어?! 생각보다 좋은 내용이 많네. 한번 읽어봐야겠다.'하고, 이 책을 선택하게 되었습니다. 이 책을 쓴 저자는 미국 진로 상담 분야의 최고 권위자이며, 교수입니다. 책 내용 초반부에 가장 기억에 남는 내용은, '노벨상을 받은 어떤 유명한 인물이 그 상을 받게 된 것은 대단한 계획하에 이루어진 것이 아닌, 아주 쉽고, 가벼운 하나의 결정에 의해서 이루어졌다'라는 대목이었습니다. 교수는 이 사례를 통해서, '아! 어쩌면, 성공이라는 건 뭐든지 계획하고 철저한 행위에 의해서가 아닌, 다른 우연에 의한 것일 수도 있겠구나.'라고 생각하면서, 인생 성장 프로젝트라는 연구를 20년간 진행하게 됩니다. 그리고, 그 실험에 관한 내용이 '빠르게 실패하기'라는 책입니다.

저는 지금껏 단 한 번도 저 자신을 완벽주의자라고 생각해 본 적 없지만, 살아온 삶의 궤적과 선택의 순간들을 돌이켜보면 심각한 완벽주의자 성향을 가진 사람이었습니다. 완벽주의자라는 단어는 단어만 보면, 굉장히 멋져 보입니다. 하지만, 막상 완벽주의 성향을 갖고 있는 사람으로 이 성향에 관해 이야기하자면, '결코 좋지 않은 성향이다.'라고 말하고 싶습니다.

제가 생각하는 완벽주의는 '어떤 일을 할 때, 항상 잘 해내고 싶고, 최고의 결과와 성과를 만들어 내고 싶어 하는 성향이 강한 사람'을 뜻하는 단어라고 생각합니다. 완벽주의자는 실패가 너무 싫고, 실패를 용납하지 못해서, 완벽주의 성향이 된다고 생각해요. 제가 그렇거든요.

저는 실패가 싫어서, 한 가지 일을 시작할 때까지 최소 몇 달 혹은 몇 년이 걸리기도 해요. 중요하지 않은 일들은 즉흥적이고, 신속하게 결정하지만, 정말 중요하고, 좋은 결과를 내고 싶은 일에는 '무게와 부담'이 실리면서, 그 선택을 하는데, 굉장히 긴 시간이 걸렸습니다. 그리고, 그렇게 미루고 미룬 다음 시작했습니다. 그 과정에서도, 이 일을 잘 하고 싶다는 생각에 수많은 자료와 정보를 찾기도 하지만, 이런 노력과는 달리, 결과가 좋았던 적은 생각보다 없었습니다. 오히려, 중요하지 않은 일을 '가벼운 마음'으로 시작할 때, 시작도 빨랐고, 힘을 별로 들이지 않고도 좋은 결과를 얻을 때가 많았습니다.

'빠르게 실패하기'라는 책을 읽으면서, 저의 이런 모습들과 책의 내용을 대조하며 읽어보니, 더 잘 읽혔습니다.

최근의 저는 수없이 많은 일을 시도했고, 그 과정에서 준비되지 않은 실패와 좌절을 경험했습니다. 평소에 저는 많은 일을 시도할 때 철저히 계획을 세우고 시작하는 편입니다. 그 계획에 의해 내가 포기해야 하는 것, 투자해야 하는 것. 그리고, 내가 만들어 내야 할 성과에 대해서도 철저하게 예상해 두고, 그에 맞춰서 행동했습니다.

그런데도, 상황은 저의 뜻과 다르게 흘러가는 경우가 많았습니다. 제 예상과 달리, 한 가지가 잘못되자 다른 것들도 꼬리에 꼬리를 물고 연쇄적으로 꼬이기 시작했습니다. 하지만, 결국에는 시도했던 일을 잘 마무리하고, 그중에서 어떤 일은 좋은 결과로 이어지기도 했습니다.

만일, 제가 과거처럼 아무것도 하지 않거나,
실패가 두려워서 어떤 일을 완벽하게 해내려고,
고민만 하며 시간을 허비했다면 어땠을까요?

결국에는 아무것도 하지 못하고, 시간만 흘려보냈을 거예요. 하지만, '어떻게 되든 일단 시작부터 하자.'라고 마음먹고 무엇이든 시도해 보니, 그중에서는 잘 되는 것들이 많았습니다. 그리고, 제 뜻과는 다르게 잘 안되는 일은 빠르게 정리할 수 있었습니다.

그리고, 그 과정에서 저는 "아, 이 일은 나랑 맞는 일이네. 저 일은 나랑 잘 안 맞는 일이네." 하며, 저에 대해 조금 더 잘 알 수 있었습니다. 경험하지 않으면, 무엇이 나랑 맞는 일인지, 맞지 않는 일인지 알 수 없습니다. 경험했기에, 나와 맞는 일을 알 수 있는 것입니다. 그리고,

나와 맞는 것을 잘 알고 있을수록 저는 '나다운 사람'이 될 수 있었습니다.

빠르게 실패하기란 책 역시, 저와 같은 생각을 말하고 싶었던 것 같습니다. "경험하지 않으면, 알 수 없으니, 실패를 두려워하지 말고, 많이 시도하고 자신에 대해서 알아가라"라고 말이죠. '그러다 보면, 자신의 진로에 대해서도 명확히 알 수 있다.'라는 말을 하고 싶었던 것이 아닐까요? 저 역시, 실패를 두려워하지 않고 많은 일을 시도하면서, 저에 대해 알게 되었고 저만의 길을 선택할 수 있었던 것처럼 말이에요.

제3부. 내향형 인간

모임 운영기

14. 은둔형 외톨이도 모임장 될 수 있어요!

우연한 기회 그리고, 모임 개설 과정의 즐거움.

우연한 기회

은둔형 외톨이로 살다가 어느 날 갑자기, '어? 사교 활동을 해볼까?' 하는 생각에서, 독서 모임을 하게 되었습니다. 그리고, 독서 모임을 시작한 지 한 달쯤 되던 날. "진행자 한번 해볼래?"라는 제안 덕에, 독서 모임에서 리더를 맡게 되었습니다. 또 그 후로 두어 달쯤 지나서, 습관처럼 매주 모임에 참석하다 보니, 야식을 먹고 살이 쪄서 관리하겠다고 만든 것이 걷기 모임이었습니다.

그렇게 저는 제 모임을 운영하는 모임장이 되었습니다. 모임 활동을 하고, 리더를 맡고 제 모임을 만들고 운영하기까지 철저한 계획은 없었습니다. 그저, 즉흥적인 것들이 꼬리에 꼬리를 물고, 하나의 결과가 만들어졌던 것 같습니다. 이렇듯, 우리는 언제 어떤 것을 하게 될지 아무도 모릅니다. 모든 것은 우연히, 우리도 모르는 사이 시작되는 것 같습니다.

모임 개설 그 시작

겨우내 좋아하는 모임 활동에 심취해 있다 보니, 사람들과 뒤풀이를 자주 하게 되었습니다. 뒤풀이는 저에게 살을 선물했고, 저는 그 살을 빼기 위해 모임이 끝난 후, 집까지 밤길을 걸었습니다. 모임 장소에서 집까지 걸어서 40~50분 정도 거리입니다. 더 이상 살이 찌면, 완전히 딴 사람이 될 것 같아서, 그때부터 뒤풀이에 참석하되 '소화는 시키고 집에 들어가자.'라고 저 자신과 약속을 했습니다.

그 후부터, 뒤풀이가 있는 날은, 밤 11시가 되었든, 1시가 되었든, 시간과 상관없이 집까지 걸었습니다. 걷기는 생각보다 효과가 좋았고, 늦은 시간 마음껏 야식을 먹어도 더는 살이 찌지 않았습니다. 그래서, 모임을 하는 동안 꾸준히 걸었고, 그렇게 걸어 다니다 보니, 어느 순간 혼자 걷는 것이 지루하다는 생각이 들었습니다. 그렇게 저는 걷기 모임을 만들게 되었습니다. 물론, 모임을 처음 만들 때는 '내 모임을 어떻게 만들어.'라는 생각도 했습니다. 하지만, 저는 결국 도전하기로 마음먹었습니다.

처음에는 모임을 어떻게 만드는지도 몰라서 맨땅에 헤딩하듯 하나하나 서툴게 만들어 나갔습니다. 모임을 만드는 것이 왜 이렇게 어려운지. 사실, 학창 시절부터 동아리 활동이나 각종 대외 활동을 많이 했다면, 모임 만드는 것은 어렵지 않았을 텐데 저는 그런 활동과 거리가 먼 사람이었기에 더욱 어렵게 느껴졌는지도 모르겠습니다. 그렇지만, 사람은 하고자 하면, 어떻게든 하게 된다고 저 역시 그랬습니다. 모르는 것들은 많았지만, 할 수는 있었습니다.

모임 이름 짓기.

'이름은 중요하니까, 잘 지어야겠다.'가 제 생각이었습니다. 하지만, 이름조차 지어 본 경험이 없어서 꽤 애를 먹었습니다. 잘은 몰랐지만, 이왕이면, 모임 이름을 보자마자 사람들이 '어? 여기 좋을 것 같은데, 가입해 볼까?'하는 생각이 들도록 짓고 싶었습니다. 고민 끝에, 누가 들어도 다정해 보이고, 이름만 봐도 걷기 모임이네! 하고 알 수 있도록 지었습니다. 고민하고 지은 이름이라 그런지 모임 명의 효과는 좋았습니다. 모임을 만들고, 운영하는 과정에서 모임원 분들이 모임 이름이 좋아서 가입했다고 이야기해 주는 경우가 많았거든요. 모임 이름을 짓고 나자 또 다른 관문이 남아 있었습니다. 바로, 모임 소개 글 작성이었습니다. 모임 개설은 홈페이지 개설보다는 쉬웠지만, 나만의 프로필을 만드는 것과 같은 작업이 필요했습니다.

모임 소개 글에 들어간 내용은 사람들에게 모임 취지를 알릴 것, 깔끔하고 단순할 것, 그리고 운동 코스에 관한 내용을 담을 것. 이렇게 제가 세운 기준에 맞춰서 작성했습니다. 소개 글을 잘 작성해 둔 덕분에 "이 모임은 어떻게 참석하면 되나요? 운동은 어떻게 진행되나요?" 하는 질문 없이 모든 회원분이 잘 참석해 주었습니다.

모임 소개 글을 작성할 때 느낀 거지만, 모든 영역에서 글쓰기는 정말 중요하다는 거였습니다. 모임명을 지을 때도, 모임 소개 글을 적을 때도 모든 것에는 글쓰기 능력이 활용되었죠. 저는 그동안 갈고닦았던 글쓰기 경험이 잘 쓰인 것이 뿌듯했습니다. 후일담이지만, 나중에 모임을 만들고 싶어 하는 분이, 제 모임의 소개 글과 규칙 관련한 글들이 잘 정리되어 있어서, 그대로 써도 되는지에 대한 문의도 받았던 적 있습니다.

이렇게, 세팅하고 나니 무엇이든 해낼 수 있다는 기분을 느꼈습니다. 뭐든 그렇지만 시작은 사람을 설레게 하는 것 같습니다. 모임이 앞으로 잘 될지, 안 될지는 모르지만, '하는 데까지 최선을 다해보자!'라는 생각으로 첫발을 내디뎠습니다. 그리고, 첫걸음이 이후, 수많은 경험을 통해 부족한 저의 모습도 깨닫고, 바꾸기 위한 노력에 관한 이야기가 계속됩니다.

15. 띠링 띠링~
첫 회원이 가입했습니다.

우당탕탕 첫 회원 만나기!

첫 회원의 가입 소식

모임을 개설한 지 며칠이 되었을까? 첫 회원가입 알람이 울렸다. '어?! 우리 모임에 가입한 분은 어떤 분일까?' 정말 아무것도 없는 이제 막 오픈한 햇병아리 모임에 어떤 분이 가입한 걸까? 내심 궁금하기도 하고, 신기하기도 하고, 걱정되기도 했다.

사실 모임은 인맥이 많은 사람일수록 모임을 운영하기도, 키우기도 쉽다. 하지만, 나는 은둔형 외톨이답게 동원할 수 있는 인맥이 없었다. 아니, 있다고 해도 굳이 연락해서, '제 모임에 가입해 주세요.'라고 하기보다, 자연스레 모임의 취지를 보고 오는 사람들로 모임을 꾸려나가고 싶었다. 하지만, 어디서부터 어떻게 키워야 할지도 모른 채, 모임을 운영한 후, 혼자서 운동하고 그에 대한 기록을 올리기를 반복하던 며칠째가 지난날. 드디어 신규 회원이 가입했다.

은둔형 외톨이의 첫 고비
모임 장인데, 저 낯가려요.

저는 은둔형 외톨이로 오랫동안 지냈습니다. 그 때문일까요? 저는 생각보다 낯가림과 조심성이 심했습니다. 그렇다 보니, 제가 만든 모임이었지만, 제 모임에 가입한 회원분들과 인사를 나누고, 대화하고, 리드하는 것 그 자체가 어렵게 느껴졌습니다. 한 번도 누군가와 관계를 맺을 때 적극적인 행동을 해본 적 없었기 때문이었죠.

첫 회원과의 만남은 그 자체만으로도 고민이 많았습니다. 그럼에도, 제가 만든 모임이니 제가 가진 서툰 부분들 때문에 회피할 수는 없다는 생각에서 천천히 첫 만남을 준비했습니다. 당시에, 모임에 가입한 인원이라고는 저와 새로 가입한 회원분 이렇게 단둘뿐이었습니다. 아니, 정확하게 말하면 제 지인 한 명도 모임에 가입해 있었습니다. 하지만, 말 그대로 응원의 의미였기에 실제 활동 회원은 단 한 명이었다는 표현이 정확할 것 같습니다. 당연히, 모임이 열리는 날 새로 온 회원분과 저, 이렇게 단둘이 운동하게 되는 아이러니한 상황이 펼쳐졌습니다.

낯선 이와의 만남. 그것도 제가 주도적으로 해야 하는 만남이라니, 이것보다 낯설고 어려운 상황도 없었습니다. 그럼에도 저는 꿋꿋이 도전해 보기로 했습니다. 1년간 독서 모임도 리더로 활동했는데, 이거라고 못하겠어? 라는 생각이 힘이 되었습니다. 그렇게 단단히 마음을 먹고, 첫 일정을 진행했습니다. 걱정했던 것보다 낯선 이와의 만남. 그리고, 운동은 나쁘지 않았습니다.

서로 실물도 처음 보는 사이였지만, 어떻게 어떻게 어색한 모습으로 약속 장소에서 서로를 알아보고 운동을 시작했어요. 운동이라고 해봐야 산책이었지만, 그럼에도 한 시간 이상 지속하면 저 강도의 운동도 운동이 되었습니다. 저의 어색함을 조금 덜어내는 데 도움이 됐던 건 독서 모임처럼 실내에서 마주 보고 대화를 하는 것이 아닌, 서로 정면을 바라보며 몸을 움직이며 대화하는 거라 조금 더 편했습니다.

회원님도 저도 서로에 대한 탐색전이 시작되었습니다. 저도 모임을 만든 것이 처음. 회원님도 모임 가입이 처음이라고 했습니다. 참 신기하죠? 초심자는 초심자를 알아봤던 것 같습니다. 사실, 대화의 주도권도 회원님이 갖고 계셨습니다. 무슨 말을 해야 할지 잘 모르겠더라고요. 그런데, 회원님께서 먼저 궁금하던 것을 봇물 터지듯 물어봐 주셔서 편하게 대화가 이어졌습니다.

"모임 만드신 지는 얼마나 되셨어요?"
"만든 지 일주일도 안 됐어요. 저도, 처음 모임을 운영해 보는 거라 모르는 것도 많고, 서툰 것도 많으니 잘 부탁드려요."

지금 생각해 보면, 이 답변은 너무 솔직했던 걸까? 싶긴 했습니다. 하지만, 솔직한 건 나쁘지 않다고 생각해요. 모임이기 전에 서로 간에 신뢰를 쌓는 것이 중요하니까 솔직한 것도 필요하다고 생각했습니다. 그리고, 솔직함은 생각보다 어색했던 대화를 한결 편하게 만들어줬습니다. 그리고, 계속 대화가 이어졌습니다.

"저희 모임은 어떻게 하다가 가입하게 되셨어요?"
"저도 이번 모임이 처음인데, 안 그래도 평소에 운동을 너무 안 하다 보니, 꾸준히 운동을 하고 싶다는 생각에서 이런저런 모임을 찾아보다가, 이 모임을 발견했어요. 다른 모임들과 달리, 이 모임은 소개 글에서 모임 취지며, 운동 코스와 운영 방향에 대해서 꼼꼼히 적어두었길래, '아! 여기다. 전문가의 냄새가 느껴진다.' 해서 가입하게 됐습니다."

라고, 정말 친절하고도, 진정성 있게 답변해 주셨어요. 이렇게 솔직한 두 초심자의 대화가 이어졌고, 그렇게 한 시간 이상 운동을 별 무리 없이 마무리할 수 있었어요. 회원님과 운동을 마친 후, 집으로 돌아가는 길에 뿌듯한 감정이 저를 사로잡았습니다. 낯선 것에 대한 도전. 그리고, 생각보다 잘 해냈다는 감정 때문이었죠. 아무리, 독서 모임을 1년간 해왔고, 진행을 해왔다고 해도 내 것을 만들어서 나 스스로 새로운 것들에 하나씩 부딪혀 본다는 건 전혀 다른 것이었어요. 그리고, 그 경험이 저를 계속 바꿨던 것 같아요. 멋진 사람으로 성장하는 쪽으로요.

16. 시작한 지 8일째, 위기는 생각지도 못하게 찾아왔다.

위기는 극복하고 나면, 아무것도 아니다.

사람은 한 명만 모여도 어려움이 생긴다.

어떤 일을 할 때, 그 일에 사람들이 모이고 함께하다 보면, 좋은 일도 있지만 어려움도 생기기 마련입니다. 오늘은 모임을 운영한 지 8일째 되던 날, 처음으로 겪은 위기 상황과 그 위기 상황 이후 어떻게 좋은 결과를 얻게 되었는지에 대한 이야기를 해보려고 합니다.

이야기를 시작하기에 앞서, 첫 회원과의 운동이 끝난 날로 돌아가 보겠습니다. 첫 회원의 모임 가입 후, 회원님과의 운동이 끝난 다음 날이었습니다. 오전쯤에 회원님께 급한 연락을 받았습니다. "정말 급한 일인데, 통화 가능한가요?"라는 연락이었습니다. 갑작스러운 연락에 저는 놀라서 '무슨 일이지?' 걱정부터 앞섰습니다. 그렇게, 회원님과 통화가 시작되었습니다.

"안녕하세요."

"안녕하세요. 모임장님. 갑자기 연락드려서 죄송합니다. 중요한 사항이라…. 전날 운동을 나갈 때, 몸이 조금 안 좋다. 피곤하다. 느끼긴 했는데, 오늘 출근해서도 몸이 안 좋아서 혹시나 하는 마음에 코로나 검사를 했습니다. 검사 결과 코로나 확진 판정이 나왔습니다. 회사에서 자가 격리하라는 지시에 따라서 자가 격리하러 가는 길에, 어제같이 운동했던 모임장님이 걱정되어 연락드렸습니다. 모임장님은 몸 괜찮으세요?"

갑작스러운 연락도 연락이었지만, 더 당황스러웠던 건 첫 모임을 진행한 날 회원님이 코로나에 걸려 있었다는 거였다. 순간 머릿속으로 '뭐가 이렇게 꼬이지…. 어떻게 해결해야 하지?' 등 수많은 생각이 스쳐 지나갔다. 그렇지만 어쩌겠는가. 모임을 운영하는 사람은 나인 것을. 돌발 상황에 대처해야 하는 것도 내가 해내야 하는 일 중의 하나라고 생각하고, 천천히 대처해 나가기 시작했다.

문제적 상황에 대처하는 법

지금, 문제 상황은 어제 처음같이 운동한 회원님이 '코로나 확진'인 상태이고, 그럼 '나는 괜찮은가?' 하는 문제가 있었다. 이에 대해 어제 상황에 대해 찬찬히 되짚었다. 전날 운동할 때 회원분과 나는 야외에서 운동했고, 서로 나란히 앞을 바라보며 걸었다. 그리고, 대화하긴 했지만, 서로 마스크를 쓰고 있는 상태였기에, 별다른 문제가 없을 거라는 결론에 이르렀다. 그리고, 나는 코로나가 걸린 적 있어서 재감염 확률이 엄청 낮다는 걸 알고 있었다. 하지만, 이러한 긍정적인 판단에도 나의 감염 여부는 확신할 수 없었다. 몸이 아픈 건 아니었지만, 그럼에도 코로나는 잠복기가 있으니, 100% 확신을 할 수 없었다. 그럼에도 마냥 불안해하고, 부정적으로 생각할 상황도 아니라는 판단이 섰다. 머릿속으로 상황을 한번 정리하고, 침착하게 말을 내뱉었다.

"몸은 괜찮으세요? 저는 아직 몸에 별다른 증상은 없어요. 제 걱정은 안 하셔도 될 것 같아요. 저는 코로나 감염

된 적도 있고, 저희 어제 야외에서 운동하면서, 마주 보고 대화한 것도 아니고, 마스크까지 착용했잖아요. 괜찮을 거예요."라고 답했다.

내 말을 들은 회원님께서 굉장히 미안해하면서 "정말 죄송합니다. 그래도, 코로나 검사를 해보시는 게 좋을 것 같은데…."라고 말을 끝마치지 못했다.

"마침 집에 자가 검사 키트는 항상 여분으로 보관하고 있어서, 그걸로 바로 검사해 보려고요. 확진으로 나올 일은 없지만, 하고 나서 검사 여부 알려드릴게요."

"정말 죄송합니다. 자가진단 키트 검사 비용은 제가 따로 보내드릴게요. 그리고, 자가 격리 기간이 끝나면 운동 참석하는 날 따로, 커피라도 대접하겠습니다."

"저는 괜찮아요. 자가진단 키트 검사 비용도 따로 주실 필요 없어요. 자가 격리 기간 동안 회복 잘하시고, 운동 때 뵐게요.".

대략 이러한 대화들이 오고 갔고, 회원님을 안심시키고 통화는 마무리되었다. 만약, 내가 회원님의 전화를 받자마자 당황해서 횡설수설하고 혼자서 걱정의 나래를 펼치며 불안에 떠는 시간을 보냈다면 어땠을까? 아마도, 모임은 8일 만에 운영 종료되었을 것이다. 하지만, 나는 이왕 시작한 것은 할 수 있는 데까지 최대한 해보자는 마음으로 임했기에, 처음 겪는 낯선 상황에서도 침착하게 대처할 수 있었던 것 같다. 그리고, 이 대처 덕분에 아무런 문제 없이 위기 상황은 넘겼고, 추후에 70명 이상의 가입자를 보유한 모임으로 성장할 수 있었다.

17. 밑바닥에서 시작하는 것이 제일 어렵다.

한번 해내면 그다음은 비교적 쉽다.

살다가 한 번쯤 해보는 생각

살아가다가 한 번쯤 해봄 직한 생각이 있습니다. '이 수많은 아파트와 집 중에, 왜 내 집은 없을까? 저곳에서 사는 사람은 어떤 사람들일까?' 하는 생각.

그리고, '정말 아무런 기반도 없는 상태에서 무언가를 쌓아 올린다는 것이 가능할까? 특히, 요즘 같은 세상에서 개천에서 용 난다는 말은 불가능한 일인 것 같은데….'라는 생각을 한 번쯤 해보셨을 거예요.

대학교에 다닐 때까지만 해도, 밑바닥에서 무언가를 실현하는 일은 '내가 열심히 하면, 충분히 가능한 일!'이라고 생각했었습니다. 하지만, 시간이 한참 흐른 지금에서 생각해 보면, '참으로 힘들고, 어려운 일이다. 운이 나쁘다면, 평생 노력만으로는 불가능한 일도 있겠구나.'라는 생각이 들었습니다.

나이가 든다는 것은 그만큼 경험이 늘고, 그 경험에 비례해, 현실적으로 생각하게 된다는 장점이자 단점이 있습니다. 하지만, 저는 이런 현실적인 생각을 하고 있음에도, '나는 여전히 살아갈 날이 훨씬 더 많고, 무엇이든 할 수 있는 무궁무진한 힘을 가진 사람이다.'라고 생각하며 살아가고 있습니다.

그 덕분에 맨땅에 헤딩하듯, 저의 성향과 전혀 맞지 않는 활동 중 하나인 모임을 운영하고, 모임 활동을 하고, 모임장의 역할을 하는 일을 시도할 수 있었습니다. 정말 무모하게도 아무런 인맥도 없이 저 혼자 만들었던 모임. 그 모임이 회원 1명에서 추후에 70명의 회원이 가입한 모임으로 성장하기까지 정말 많은 일들이 있었습니다. 아마, 제가 걱정하느라 시도하지 않았다면 평생 경험할 수 없는 일이었을지도 모릅니다. 하지만, 도전했기에 경험할 수 있었고, 그 경험은 평생 동안 잊히지 않을 저의 추억이 될 것이란 것을 압니다.

회원 0명에서 20명 만들기

회원이 없는 상태에서 한 명의 회원이 들어왔습니다. 그리고, 이전 이야기에서 공개했듯이 약간의 에피소드가 있었음에도 불구하고, 잘 해결이 되었습니다. 이후에도, 한 명, 한 명의 회원들이 산발적으로 가입을 했었고, 그때마다 최선을 다해서, 모임원들이 모임에 가입할 수 있도록 운영했습니다. 이 당시, 저의 모임에는 회원이 없었기 때문에 매일 혼자서 저 자신과 했던 약속을 되새기며, 그중에서도 가장 중요한 첫 번째 약속을 달성하기 위해 노력했습니다.

나와의 약속

첫째. 모임은 혼자 하던 운동에 조금 더 강제성을 두기 위해서 만들었다. 그러니, 모임 활동 기간 내내 혼자서 매일 1만 보를 채울 것. (주말도 빠짐없이 운동할 것)

둘째. 극 내향형인 나도, 사람들을 잘 이끌 수 있을지 확인해 보자. 모임을 잘 이끌면, 이후에 내가 하고 싶은 일을 할 때, 실전 경험이 쌓이게 될 것이다.

셋째. 할 수 있는 데까지 최선을 다해보자. '회원들이 안 모여서 모임을 없앨 수도 있고, 모임을 운영하다가 어

떠한 이유로 모임을 없애게 될지도 모르지만, 그럼에도 끝까지 할 수 있는 데까지 해보자.'

넷째. 직장인들이 시간 내서 평일 저녁 운동하겠다고 내 모임에 가입한 만큼, 나 역시, 해당 시간만큼은 최선을 다 해 모임원들에게 좋은 시간을 만들어 주는 모임을 운영하자.

저 자신과 했던 네 가지 약속 중에서도 가장 중요하게 생각했던 건 바로, 첫 번째 약속이었습니다. 첫 번째 약속이 제가 모임을 만들었던 가장 큰 이유였기 때문입니다. 이 목표가 있어서였을까요? 저는 회원이 0명일 때부터 혼자서 비가 오나, 몸 컨디션이 안 좋으나, 한 달이라는 시간 동안은 매일 꾸준히 1만 보 이상을 걸었습니다. 저 스스로 조금의 핑계도 없이 목표를 달성하도록 만들고 싶어서 주말 포함해서 총 31일간 매일 1만 보 이상을 걷는 것을 목표로 했습니다. 그 과정에서 매일 꾸준히 모임 활동 게시판에 혼자 걸은 기록과 저의 짧은 감상평을 남겼습니다.

그 결과 저의 기록을 본 회원분들이 한 분 한 분 가입하기 시작했고, 그 과정이 모여 한 달 이후에는 모임 가입자가 24명이 되었습니다. 이 경험은 개인적으로도 너무 신기한 경험이었습니다.

아무것도 모르는 사람이, 그것도 극 내향적인 사람이 스스로 모임을 운영해 보자고 다짐한 이후, 딱 한 달 이후에 이렇게 많은 사람이 모였다는 것이 신기했습니다.

누군가는 '별 대단한 수치도 아닌데…?'라고 할지도 모르겠습니다. 하지만, 특별한 광고 활동을 한 것도, 지인들을 모아서 허수의 인원을 만든 것도 아닌, 순수하게 저의 모임의 취지와 제 활동 과정이 좋아서 모인 회원들이었기에 제게는 더 유의미하게 느껴졌던 것 같습니다.

그리고, 이 한 달 동안 저는 모임 회원만 증가한 것이 아니었습니다. 그 외에도 저와 했던 약속 첫 번째도 달성했습니다. 혼자서 한 약속을 지켰더니, 한 달 동안 목표 달성한 리포트가 기록에 남았고, 회원들이 증가하는 결과를 얻게 되었습니다. 회원들이 증가한 것보다, 저와의 약속을 지켰고, 그것이 기록으로 남았다는 것이, 제게는 더 좋은 경험이었던 것 같습니다. '나, 할 수 있어!'라는 걸 느끼게 해준 정말 오랜만에 좋은 경험이었기 때문입니다.

이 경험을 바탕으로 이후에는 모임이 점점 더 커지기 시작했고, 그 과정에서 즐거운 경험, 신기한 경험, 힘든 경험, 슬픈 경험 등 많은 경험을 했습니다.

그리고, 밑바닥에서 다른 어떠한 편법도 쓰지 않고, 오직 나만의 힘으로 무언가를 쌓아나가는 경험이 저에게는 정말 좋은 경험이 되었고, 이 경험을 많은 사람들과 나누고 싶어서 이렇게 글로 남기게 되었습니다.

18. 당신은 반드시 잘 해낼 사람입니다.

누군가 응원하지 않는 길을 가려는 당신에게.

시작이 두려울 때, 답은 당신에게 있어요.

누구든 새로운 일을 시작할 때, 불안감과 불확실성 때문에 힘들 때가 있습니다. 저 또한 모임을 시작할 당시, 이러한 감정을 느꼈습니다. 당시의 저는 '이 일을 하고 싶다!'라는 명확한 목표 의식은 있었지만, '과연 이 일을 잘 해낼 수 있을까?'에 대한 확신은 없었습니다.

저는 이 불안을 해소하기 위해, 주변 사람들에게 저의 계획과 모임 운영에 관한 이야기를 자주 나누곤 했습니다. 저의 답답한 부분을 주변 사람과 이야기를 통해서 해소하고 싶었던 마음에서였죠. 또, 이왕이면 대화를 통해서 제가 생각지 못했던 부분에 대한 아이디어를 얻고 싶었는지도 모르겠습니다. 하지만, 얼마 지나지 않아서 알게 된 것이 있었습니다. 중요한 일을 결정할 때 그 일을 하고 있지 않은즉, 단순히 내 주변에 있는 사람에게 도움을 청하는 건 사실 '도움을 청할 대상을 잘못 선택한 것'이라는 것을요.

제가 이와 같은 실수를 했던 이유를 두 가지로 추려 보면 이렇습니다.

첫째. 제 고민에 대한 답은 그 길을 걸어 본 사람만이 좋은 답을 해줄 수 있다는 것을 간과했다는 것입니다.

당시 저는 제 고민의 답을 얻기 위해 저와 같은 길을 걸어본 사람이 아닌, 그저, 가깝기만 한 사람에게 이와 같은 고민을 털어놓고, 이야기를 나누었습니다. 어쩌면 당연한 결과일지도 모르지만, 주변 사람들로부터 좋은 답변을 얻기 어려웠습니다.

둘째. '결국 정답은 저 자신이 제일 잘 안다.'라는 것을 간과했다는 것입니다.

일을 계획한 것도 저 자신이고, 일을 진행하는 것도 저 자신입니다. 즉, 이 일에 대해서 가장 잘 알고, 진심인 사람은 당사자인 저뿐입니다. 그러니, 주변 사람들에게 답을 구하는 것보다 제가 저를 믿고 결정하는 것이 더 중요하다는 것을 깨달았습니다.

타인에게 조언을 구하는 일이 때로는 필요할 때도 있습니다. 하지만, 스스로 결정해야 할 순간조차 타인의 조언에 의지하는 행동을 지양해야 합니다. 결정에 대한 책임은 오로지 자신에게 있기 때문입니다. 물론, 타인의 조언을 통해 좋은 결과를 얻는다면 다행이지만, 그렇지 않을 때는 자신에게도, 조언을 해준 상대방에게도 좋지 않은 일이 될 수도 있습니다. 또, 타인의 조언을 통해 결과가 좋았다고 해도 그건 타인의 의견 덕분이지 스스로 무언가를 고민하고 결과를 만들어 낸 것이 아니기에 결과적으로 개인적인 성장에는 큰 도움이 되지 않을 수 있습니다. 그렇기에, 자신에게 중요한 일이라면 스스로 결정하는 태도가 우선시 되어야 합니다.

중요한 일을 할수록 불안감은 커지고, 확신이 필요합니다. 하지만, 스스로 방향을 찾으려 노력하고, 그 과정에서 성공도 해보고, 실패도 해보는 것이 진정한 도전자의 바람직한 자세가 아닐까요?

'어떤 일을 할 때, 불안한가요?' 그렇다면, 다른 사람에게서 확신을 얻으려 하기보다, 스스로 확신을 가질 것을 추천해 드려요. 나 스스로 확신을 갖지 못하는 일은 타인도 진심으로 응원해 주지 않습니다. 마지막으로 한마디만 더 덧붙이자면, 타인의 응원이 없어도 당신은 스스로 잘 해낼 사람이란 것을 잊지 말았으면 합니다.

제4부. 내향형 인간에게 어려웠던 사람 이야기.

19. 그들은 어쩌다 빌런이 되었을까?

첫 번째 빌런이 나타나다!

빌런의 사전적 정의

빌런의 사전적 정의는 이렇습니다. 악당, 악인, 악한 범죄자 등을 지칭하는 단어.

신조어로 새롭게 탄생한 빌런의 의미

무언가에 과도하게 집착하거나, 특이한 행동을 보이는

사람을 '빌런'이라고 지칭합니다. 즉, 일반 사람들과는 조금 다른 행동 양상을 보이며, 괴짜 같은 면모를 보이는 사람들을 빌런이라고 합니다. 조금 더 쉽게 풀어서 설명하면, '조금 특이한 사람' 정도로 정의할 수 있습니다.

이렇게 빌런의 뜻을 알아보았는데요. 오늘은 모임을 운영하면서 만났던 다양한 빌런에 대한 이야기를 나눠보려 합니다.

그 첫 번째 빌런은 예민, 집착 빌런입니다.

사람은 모두 저마다 사회생활을 할 때 쓰는 '가면'이 있기 마련입니다. 가면이라고 표현하면, 부정적인 어감으로 느껴지지만, 부정적인 어감을 제외하고, 통상적으로 쓰는 의미로 풀이하자면 다음과 같습니다. '평소의 모습이 아닌, 다른 모습을 보이는 것'을 우리는 가면을 썼다고 표현합니다. 저 역시, 편한 사람과 있을 때와 불편한 사람과 있을 때의 모습이 다릅니다. 일부러 다르게 하는 것이 아닌, 심리적 상태에 따라 자연스레 나오는 행동이라, '잘못되었다. 나쁘다.' 등의 흑백론으로 이야기할 수는 없습니다.

이렇듯, 심리적인 거리감에 의해서 혹은 상황적 필요에 의해 우리는 저마다 적절한 가면을 쓰고 살아갑니다. 하지만, 이 가면이 너무 두꺼운 사람이 있습니다. 두꺼운 가면을 쓰는 사람을 만나면, 우리는 그 사람의 원래 모습을 알기 어렵습니다. 이런 경우 상대와 진정으로 가까워지기 어렵습니다.

'예민, 집착 빌런이 등장한 시기'

첫 만남에서 '조금 섬세하고, 예민한 사람인가 보다.' 하는 분이 있었습니다. 이 분을 처음 만났을 때는 모임을 키워가는 초기 단계라 신규 회원이 들어오면 저와 신규 회원 둘이 운동을 하는 상황이 종종 있었습니다. 평소와 다름없이 운동 일정을 진행하던 중에 '어, 이분 좀 남다른 분인 것 같은데…? 조금 더 지켜봐야겠다.'라고 생각한 포인트가 있었습니다. 그 포인트는 지금껏 만났던 신규 회원분과는 다르게, 본인이 향하고 싶은 운동 코스로 가기를 희망하는 것에서 시작되었습니다. 원래 정해진 코스대로 운동하는 것이 원칙이었으나, 이분은 본인이 원하는 방향으로 운동하기를 원해서 그날만은 다른 코스로 운동을 했습니다. 이상하다고 생각한 포인트는 운동을 조금 더 진행하면서 나타나기 시작했습니다.

운동을 하던 도중 신규 회원분이 정말 뜬금없이 "운동 코스 한쪽에 있는 운동기구로도 운동을 해봐요." 또는 "운동 코스 옆쪽에 흐르는 강 위의 돌다리를 건너보고 싶어요." 등의 특이한 제안을 계속해 왔습니다. 그럼에도, '사람마다 다양한 생각과 성향을 가진 사람들이 있을 수 있으니, 첫 만남에 편견을 갖지 말자.'라고 저 자신을 다잡았습니다. 하지만, 시간이 흐른 뒤에야 깨닫게 되었습니다. 모임 코스와 운영 방침이 정해져 있음에도 다른 방식을 제안하는 것이 모임을 운영하는 데 큰 문제가 될 아주 작은 징조였다는 것을요.

빌런이 빌런 하다.

조금은 특이한 회원이었던 분이 시간이 지나서 빌런 1이 된 이유는 모임 운영하는 중간에 벌어진 몇 가지 사건 때문이었습니다. 모임원 중 한 분과 이성적인 문제가 있기도 했고, 본인이 불편하다고 생각하는 모임원이 있으면 그 모임원을 마음대로 내쫓으려고 여러 잡음을 만들기도 했습니다. 당시에는 몰랐습니다. 이분이 왜 이런 행동을 했는지를. 그러나, 시간이 흐르고 알게 되었습니다. 남다른 생각과 행동 양식을 지닌 분이었기에 위와 같은 행동을 자연스럽게 했다는 것을요. 모임에 물의를 일으키는 일이어도, 자신이 옳다고 생각하면 자신의 고집대로 밀어붙이는 사람이었다는 것을요.

이러한 여러 가지 복합적인 문제들이 발생하면서, 결국 이 회원분과는 좋지 못한 끝을 맞이하게 되었습니다. 이 분과의 끝도 좋지 못했던 이유는 여러 물의를 일으켰음에도 모임 활동을 계속하고 싶으셨던 것인지 자신의 불편함과 억울한 감정을 모두가 보는 곳에 대대적으로 쏟아내고 나갔기 때문입니다. 당시에 이런 경험이 처음이다 보니, 매우 당황스럽긴 했지만, 잘 대처할 수 있었던 이유는 모든 회원분이 제가 어떻게 모임을 운영하는지 누구보다 잘 알고 계신 분들이었기에 이 회원분의 말을 진지하게 받아들인 분이 없었습니다. 이 경험 덕분에 저는 이후 모임을 운영하는 데 있어서 모임에 물의를 일으키는 회원은 어떻게 정리하면 되는지. 그리고, 모임에 부정적인 행동을 대외적으로 한 경우, 어떻게 모임원들에게 잘 전달하면 되는지를 배울 수 있었던 좋은 경험이었습니다. 사람이 모이면, 여러 가지 문제가 생기기 마련이고, 그 문제적 상황을 어떻게 잘 처리할 수 있는지가 '모임장의 중요한 역할'이라고 생각하는 계기가 되었습니다.

20. 두 번째 빌런.

여자가 남자 좋아한다는데,
남자가 여자 좋아한다는데 왜?!

두 번째 빌런이 나타나다.

모임을 하면서 만나게 된 빌런의 이야기는 총 5가지로 구성되어 있습니다. 지난번 이야기에 이어, 두 번째 빌런에 대한 이야기를 시작하겠습니다. 오늘은 바로, "여자가 남자 좋아한다는데, 남자가 여자 좋아한다는데 왜?!"라고 울부짖는 이들의 이야기입니다.

요즘 2030 세대에서 직관적으로 표현하는 단어가 많이 사용되고 있는데요. 그 단어 중 하나가 바로, '남미새/여미새'라는 단어입니다. 이 단어는 모임에서 주로 많이 쓰이는 용어인데요. 단어 그대로 직역하면 너무 강한 표현이 들어가 있어서, 유하게 돌려서 표현하자면 다음과 같습니다.

'남자에게 빠져 있는 사람 혹은 여자에게 빠져 있는 사람' 정도로 표현할 수 있습니다.

이 단어가 모임에서 등장한 이유는 모임을 하다 보면, 남녀가 어우러져 활동하기 마련입니다. 그러다 보면, 모임의 취지와 관계없이 유독 이성만 눈에 띄게 좋아하는 사람이 있습니다. 물론, 여자는 남자를. 남자는 여자를 좋아하는 것은 당연한 이치이지만 이 성향이 지나친 사람이 있습니다. 이러한 사람들을 '남미새 · 여미새'라고 부릅니다.

모임 활동을 하다 보면, 젊은 남녀가 어울리는 건 당연한 일입니다. 이때, 자연스럽게 '호감을 느끼는 이성'이 있기 마련이죠. 그런 경우에는 다들 축하를 해주고, 자연스러운 현상으로 받아들이곤 합니다. 하지만, 흔히들 '남미새 · 여미새'로 불리는 이들은 이러한 경향과는 매우 다릅니다. 사람들이 이러한 단어로 부르는 데는 그만한 이유가 있습니다. 단순히 '호감을 느끼는 이성'이 있는 것을 넘어서서, 여자의 경우, "남자면 무조건 좋아. 여자는 별 관심 없어." 남자의 경우, "여자면 무조건 좋아. 남자는 별 관심 없어."라는 마음으로 모임에 임하다 보니, 모임에 여러 가지 물의를 일으키는 경우가 있습니다. 그렇다 보니, 이러한 사람들을 직관적이고도, 부정적인 용어로 부르게 된 것이 아닐까 합니다.

모임 활동을 하는 데에는 저마다 다양한 이유를 갖고 있겠지만, 대부분의 평범한 사람들이라면, '해당 모임이 가진 취지와 나의 목적이 부합하느냐'의 유무가 모임 선정 및 모임 참여 이유의 1순위 고려 사항일 것입니다.

개인이 가진 1순위의 고려 사항을 통해 모임을 선정하고 나면, 모임 활동에 참여하게 되죠. 그다음, 모임 활동에 참여하면서 부수적으로 '사람들과 조금 더 어울리고, 즐거운 시간을 보내고 싶다. 혹은 더 나아가 친한 사람 혹은 친구를 만들고 싶다.'가 2순위 일 것입니다. 이런 마음으로 모임을 참여하는 사람들이 대부분의 경우이며, 보편적인 사람들의 마음일 겁니다.

하지만, '남미새 · 여미새'로 지칭되는 사람들은 참여하는 모임의 취지는 안중에 없고, 그저 '남자친구를 만들고 싶다! 여자친구를 만들고 싶다! 혹은 더 나아가 다양한 이성과 즐겁게 놀고 싶다.'에 꽂혀있는 경우가 대부분이었습니다.

그 정도가 심한 경우, 내가 여자 회원이라면, 호감을 느끼는 상대가 한두 명이 아닌 대부분의 남자 회원이거나 혹은 남자 회원 전부와는 친하게 지내지만, 여자 회원들과는 잘 지내지 못하는 경우가 있습니다.

이렇게 한쪽으로 극심하게 치우친 행동 패턴을 보이면, 다른 회원들은 불편함과 불쾌감을 느끼기 마련입니다.

위 예시처럼 저러한 성향을 가진 사람이 여성 회원이라면, 그에 대한 트러블과 항의 정도는 비교적 약하지만, 남자 회원분이 다수 여성 회원과 연락하면서, 남자 회원들과는 잘 못 지낸다면, 그 문제는 꽤 심각한 상황으로 번지기도 합니다. 특히, 남자 회원이 여자 회원들에게 접근했을 때, 여자 회원분들이 불편한 기색이 없다면, 그나마 다행이지만, 여자 회원분들 중 이러한 남자 회원분의 접근에 굉장히 민감하고, 불쾌하게 받아들이는 경우, 그 문제는 아주 큰 문제가 될 수 있습니다.

뭐든지 상식선에서 벗어나지 않도록 행동하는 것이 통상적인 사회인이 갖춰야 할 소양이지만, 소위 '빌런'으로 지칭되는 사람들은 이러한 상식선에서 벗어난 경우가 많았습니다. 이 경우, 다수와 어울리는 자리에서 여러 가지 문제가 발생하기 마련입니다. 모임 역시, 작은 사회의 일종이므로, 사회에서 벌어지는 각종 문제는 거의 다 동일

하게 일어납니다. 빌런 2탄에서 소개한 '여자가 남자 좋아한다는데, 남자가 여자 좋아한다는데 왜?!'라는 빌런의 경우에는 그 문제가 더 심각한 경우입니다.

저 역시, 모임을 운영하면서, 위와 같은 문제 상황을 겪어 보았습니다. 흔히 지칭되는 '남미새'의 경우, 모임 초반에는 알 수 없지만, 모임을 몇 번 진행하다 보면, 여러 사람과 호감이 있다는 것을 알게 됩니다. 이렇게 여러 회원분과 호감이 있는 경우, 결국은 이성 문제로 회원 간의 문제가 생기기 때문에 대다수 모임에서는 이러한 '남미새 · 여미새'회원을 극도로 싫어하고, 이들은 강제 퇴장 대상 1순위가 됩니다.

이 밖에도 모임에서 강제 퇴장 대상이 되는 빌런은 종교 행위, 정치적 발언이 심한 경우, 모임 내의 편 가르기, 모임 규정 위반 행위, 영업 행위 등이 있습니다. 모임에서 강제 퇴장 대상으로 이렇게 규정한 이유는 이러한 행위를 하는 분들 때문에, 다수의 회원이 모임 활동을 할 때, 불편과 피해를 겪기 때문입니다.

모임은 불특정 다수가 특정한 목적에 맞게 모인 사람들의 활동입니다. 그렇기에, 빌런 혹은 특이한 행동을 하는 분들 또는 너무 자기주장과 주관이 강한 분들은 다른 분들과 융화되어 활동함에 있어서 불편감 더 나아가 물의를 일으키기 때문에, 모임의 관리 대상이 됩니다. 그렇기에,

모임 및 모임장은 이러한 성향을 가진 회원분들은 경고 조치, 심한 경우 강제 퇴장 조치로 이어지게 됩니다.

모임장은 모임이 잘 유지되고, 선량한 회원분들이 즐겁게 모임 활동에 참여할 수 있도록 '환경을 만드는 역할'을 합니다. 그렇기에 이러한 특이 행동을 하는 분들을 알아차리는 눈과 거를 수 있는 결단력 등이 요구됩니다.

모임을 운영하는 것은 이러한 '리더 활동과 작은 조직을 관리하는 연습을 할 수 있는 경험의 장'이 되는 좋은 방법 중 하나입니다.

21. 세 번째 빌런.

프로 지각러. 습관성 지각을 하는 사람

시간 약속은 기본 중에 기본.

대부분 사람이 보편적으로 생각하는 것이 있습니다. 그 중 하나가, 성인이라면 '어느 정도의 사회화는 되어 있을 것이다. 그리고, 사회에 필요한 규율과 규정 등에 대한 지식도 충분히 알고 있을 것이다.' 일 겁니다. 사람이 사회화되는 과정은 20년이면, 충분합니다. 미성년자와 성년을 구분 짓는 시기도 그 이유 때문입니다. 우리는 어린아이에게도 "유치원, 학교에 가려면 일찍 일어나야 한다. 지각하면 안 된다." 등 기본적인 것들을 가르칩니다. 그리고, 아이들도 어떤 것들은 하면 안 되고, 어떤 것들은 해도 되는지 그 가르침에서 충분히 알게 됩니다. 그렇기에, 20년을 살아온 성인이라면, 이러한 부분은 더 잘 알고 있을 겁니다. 하지만, 사람들과 어우러져 살아가다 보면, 이렇게 통상적으로 생각하는 것이 통하지 않는 사람도 있습니다. 오늘은 그런 사람 중 한 사람인 매일 지각하는 사람, 규정을 따르지 않는 사람들에 대해 이야기하려고 합니다. 특정한 사정에 의한 지각이 아닌 습관성 지각을 하는 사람들에 관한 이야기입니다.

약속 시간은 왜 중요한 걸까?

우리는 어린이 때부터 "지각은 하면 안 된다. 약속은 꼭 지켜야 한다." 등등에 대한 교육을 끊임없이 받아왔습니다. 그리고, '시간관념과 지각에 대한 것'은 기본 중에 기본으로 배우는 것 중 하나입니다. 예의범절이기도 하고, 사람과의 신뢰와 첫인상에 중요한 역할을 하는 것이 바로 '시간관념'이기 때문입니다. 하지만, 이렇게 아주 어릴 때부터 배워왔던 기본적인 규범임에도, 이것을 잘 지키지 않는 사람이 있습니다.

사회생활을 하면서, 혹은 새롭게 알게 된 친구(인간관

계) 중에서도 종종 습관적 지각을 하는 사람들을 만나곤 합니다. 모임 일정을 진행할 때는 사전에 모임 일정이 공유됩니다. 그리고, 해당 날짜에 참석할 수 있는 인원을 모집합니다. 인기 있는 시간대의 모임 일정에는 많은 사람이 몰리기 때문에 인원을 제한하는 경우도 있습니다. 이렇게 모집된 인원이 약속된 날짜에 모입니다. 대부분의 사람들은 모임 날짜에 늦거나 참석하는 경우, 미리 연락을 주는 경우가 대부분입니다. 하지만, 매번 지각을 일삼는 사람들은 이와 다릅니다. 사전에 연락하는 법이 없습니다. 혹은, 사전에 연락하더라도 몇십 분에서 길게는 한 시간이 넘는 시간을 지각하는 경우가 다반사입니다. 모임에 어떻게 매번 몇 시간씩 늦을 수가 있어? 라고 생각하는 분들이 계실지도 모르겠습니다. 하지만, 늘 지각하는 분들은 지각에 대해 크게 인식하고 있지 않기에 이와 같은 행동을 반복합니다. 모임에서 지각을 일삼는 사람은 저와 가까운 분이었습니다. 그래서, 초반에는 어느 정도 이분의 특성이겠거니 하고 유연하게 대처했지만, 시간이 지날수록 다른 모임원들이 이분의 지각으로 인해 피해를 당하는 일이 잦아졌습니다. 두 시간가량 이어지는 운동에 한 시간이 넘는 시간을 지각하는 바람에 이분에게 지금 운동하는 위치를 소통하느라 다른 분들이 운동하는 데에 피해를 보았습니다. 하지만, 이분은 매번 "미안해."하고 끝이었습니다. 결국 더는 다른 회원분들이 운동과 모임 일정에 피해를 보지 않게 하려면 저는 결단을 내려야 했습니다. 그 결단으로 모임 운영 방침을 개편하는 일이었습니다. '3회 이상 무단 지각 시, 경고 조치 없이 강제 퇴장'이라는 규정을 만들었습니다. 그리고, 전체 공지를 했습니다. 하지만, 이후에도 이분의 습관성 지각은 고쳐지지 않았고, 결국 강제 퇴장의 절차를 밟게 되었습니다.

친분은 악용될 수 있다.

매번 지각했던 분은 저와 최근에 알게 된 지인이었습니다. 지인이었기에 이분에 대해 다른 사람보다는 잘 알고 있다고 생각했고, 저에게는 중요한 사람 중 한 사람이었습니다. 하지만, 저의 이런 마음과 달리 '친분이 악용될 수도 있다.'라는 걸 알게 되었습니다. 모임 일정이 있을 때, 지인이 참석하는 날이면, 반갑기도 하고, 마음이 편하기도 하고, 고맙기도 했습니다. 그러나, 지인은 저의 이런 마음과 달리 모임이 있는 첫날부터 경고 처리가 될 때까지도 지각했습니다. 지각이 별것이냐? 할 수도 있지만, 지인이 지각하지 않은 날은 딱 한 번이었습니다. 반복된 실수는 결국 별것이 되었습니다. 그리고, 결국 소중하게 생각했던 지인과는 사이가 멀어졌습니다. 제가 이렇게 반복되는 지각에 늦게 대처했던 것은 결국 지인이라는 관계 때문이었습니다. 초반에 잘못된 부분이 있으면, 제대로 대처했어야 하는데 지인이라는 관계에 얽매여 단호하게 잘못된 부분을 말하지 못했습니다. 단호하게 말하지 않아도, 이 정도 돌려서 이야기하면 이해해 주고, 다음부터는 고치겠지? 라는 생각이었지만, 이건 어디까지나 제 생각에 불과했습니다. 수없이 말했음에도 불구하고 지인의 행동에는 변함이 없었습니다. 결국, 저는 규정을 만들어서라도 이 부분을 다잡으려 했지만, 지인 역시 제가 무른 사람이라고 생각했던 것인지 규정이 만들어진 이후에도 지각하는 행동에는 변함이 없었습니다. 결국, 그렇게 저희는 멀어지게 되었습니다.

내향형 모임장이 인간관계를 대하는 자세

지인을 잃는 경험을 하고 나서야 제가 깨달은 것이 하나 있었습니다. '나의 내향적인 모습을 극복하기 위해 모임을 운영하고 있지만, 나는 여전히 부족한 것이 많구나. 하는 부분과 예전부터 어렵게 느꼈던 인간관계가 여전히 내 발목을 잡는 부분 중 하나구나!' 하는 것이었습니다.

내향형 인간의 특성인지는 모르겠으나, 저는 관계를 맺을 때 깊고 좁게 맺는 경향이 있습니다. 그래서, 모임을 운영하기에 이런 인간관계를 맺는 방식은 적합하지 않지만, 이 부분을 극복하기 위해 계속 노력하는 과정에 있었습니다. 하지만, 쉽게 바뀌지 않는 부분 역시 이 부분이었습니다. 결국, 가까운 사람에게는 물러도 너무 무른 저의 성향이 가까운 지인을 잃게 만들었고, 모임을 운영하는 데에 있어서도 큰 타격을 입는 사건 중 하나가 되었습니다.

이 계기로, "아, 나는 역시 완벽히 내향형을 극복하진 못했구나. 외향형으로 살 수는 있지만, 내향인의 면모와 '나' 개인적으로 인간관계에 있어서 부족한 점이 이렇게 모임을 운영하면서 드러나는구나." 하며, 자신을 되돌아보고, 반성하는 계기가 되었습니다.

모임을 운영하는 것은 결국 '관계'와 관련된 일입니다. 그 과정에서 잘하는 부분도 있지만, 부족한 부분도 있기 마련입니다. 이렇게 다양한 사람들을 만나고, 다양한 경험을 하면서, 스스로 알고 있었지만, 외면했던 부족한 면모들을 직면해야 하는 순간들도 있었습니다. 그리고, 그 순간 때문에 마음에 상처를 입기도 했습니다.

그럼에도, 초반에 저와 했던 약속 중 하나인 '할 수 있는 데까지, 최선을 다하자.'라는 마음을 지키기 위해 끝까지 노력할 수 있었습니다.

22. 네 번째 빌런

나는 술 마시려고 모임 나오는 건데?

빌런은 어디에나 존재한다.

오늘은 지난번에 이어 모임 활동을 할 때, 봐왔던 다양한 사람들에 관한 이야기. 그중에서도 빌런에 대한 이야기 4번째 이야기입니다. 저는 모임에 대한 빌런 이야기를 쓰고 있지만, 사실 사회 곳곳 그리고, 우리 주변 어디에서나 빌런은 늘 존재합니다. 여러분 주변에도 잘 찾아보면, 빌런은 한 명씩 꼭 있을 거예요.

혹시 요즘 유행하는 예능 프로그램 '나는 솔로' 보셨나요? 이번 시즌이 다른 시즌에 비해서 유독 흥하는 이유가 있죠. 보신 분들은 알 거예요. 한 명만 빌런이 아닌 이번 시즌의 '나는 솔로'는 빌런 모음집이었어요.

즉, 나는 솔로 16기 기수의 사람들은 빌런들이 정말 많았어요. 그래서, 유독 그냥 넘어갈 수 있는 사건들도 다양한 빌런들이 모이면서, 더 큰 문제가 되었죠. 그 과정에서 해당 프로그램을 보는 시청자들도 덩달아 분노와 재미를 함께 느꼈던 것 같아요.

이렇듯 '빌런은 어디에나, 언제나 존재한다.'라는 의미에서 '내향형 인간 모임장 되다.'라는 글을 쓰면서, 저 역시 모임을 운영하면서 만난 다양한 유형의 사람들, 그중에서도 유독 문제가 되었던 '빌런'에 대한 이야기를 특집처럼 5가지로 작성하게 되었어요.

음주 가무를 좋아하는 빌런.

제가 만난 빌런은 어쩌면 빌런이 아닐지도 모르겠습니다. 다수 사람의 특성일 뿐일지도 모릅니다. 그렇지만, 다수의 사람이 가진 특성에서도 유달리 끝이 안 좋았던 사람들의 이야기를 해야 했기에, '음주 가무'를 좋아하는 사람들을 빌런의 이야기로 꼽게 되었습니다.

저 역시, 음주 가무를 잘하고 싶은 사람 중 하나입니다.

음주 가무는 사실 삶의 즐거운 활력이 되기도 하고, 사회생활을 하는 데 꼭 필요한 요소 중에 하나가 아닌가 생각합니다. 사회생활을 하면, 한 번은 꼭 술자리가 필요하기 때문입니다. 물론, 음주를 못 하는 분들은 고역이 따로 없지만, 그럼에도 사회생활을 해본 분들은 아실 거예요. '음주가 주는 의미'를 요.

음주에 대한 개인적인 생각.

사회생활을 하면서, 어쩔 수 없이 생기는 불편한 감정들, 불만 등이 있을 거예요. 이 불편한 감정은 적재적소에 풀지 않으면, 곪아 터지기 마련이죠. 그 불편했던 묵은 감정들을 씻어내는 자리가 곧 회식 자리로 활용되는 것이 한국만의 문화일 거예요. 이 '회식 자리'에서는 어려운 이야기를 나누기 위해서, 맨정신에서 나누지 못할 껄끄러운 이야기들을 나누기 위해 만든 것 같습니다. 즉, 알코올의 힘을 빌려, 조금 더 솔직히 이야기하고, 조금은 껄끄러울 수 있는 이야기들을 알코올과 함께 기억 속으로 날려버리기 위해서 수많은 회사가 회식 자리 그리고, 알코올의 힘을 빌리는 문화가 생기게 된 것이 아닐까, 해요.

이것이 제가 생각하는 음주의 순기능입니다. 하지만, 저는 이러한 순기능에 대해 생각하고 있음에도 불구하고,

모임을 운영할 때는 운동 모임의 취지에 맞게 술자리 없는 운동 모임으로 운영했습니다. 하지만, 모임이 커지기 시작하면서 이러한 운영 방식이 조금씩 문제가 되기 시작했습니다. 이 시기에 정말 다양한 사람들이 모이게 된 만큼 운동만 하는 모임에 대해 아쉬워하는 사람들도 늘어나기 시작했습니다. 결국 모임이 커지기도 했고, 다양한 사람들이 모이다 보니, 자연스레 술자리와 운동 이외의 활동 영역에 대한 요구가 커졌고, 그에 맞춰 운영할 수밖에 없었습니다.

모임의 목적은 어디로?

모임을 운영하면서 가장 아이러니했던 것은 분명 모임이 명확한 목적성을 제시하고 있었음에도 불구하고, 모임이 커지면, 모임의 목적성을 중요시하는 분들보다는 '사람들과 만나서 노는 것, 이성, 연애, 음주 가무 등'을 더 선호하는 사람들이 늘어갔다는 거예요.

게다가, 운동만 하는 분들보다, 이러한 모임 이외의 목적을 가진 분들이 훨씬 더 참여율이 높아, 이들의 요구를 무시할 수도 없다는 것이 모임을 운영하면서 느꼈던 어려움 중 하나였습니다. 물론, 목적에 맞는 모임도 중요하지만, 모임을 참여할 때 재미도 중요하기 때문에 모임에 참여하는 분들이 음주 가무를 좋아하는 것을 어느 정도 이해는 합니다. 하지만, 무엇이든 한쪽으로 치우치면 문제가 생기는 법이죠. 음주 가무도 '적당히'가 중요한데, 운동보다 음주 가무에 치중이 되어버리는 순간 모임은 방향성을 잃게 되는 것 같습니다.

음주가 편 가르기?

음주 가무는 서로를 조금 더 친밀하게 만들어 줍니다. 그리고, 즐거운 추억을 만드는 데에도 도움이 됩니다. 하지만, 음주 가무를 좋아하는 모임원들 대부분은 자신의 주장과 목소리가 큰 편이었습니다. 그리고, 음주 가무를 하는 분들끼리 공통사와 성향이 비슷했기 때문에, 그들끼리의 무리가 지어졌습니다. 무리가 만들어진 분들은 자신들에게 편한 방향 그리고, 본인들 위주로 모임을 입맛대로 하려는 양상을 보였습니다. 반면, 나머지 회원들은 어땠을까요? 저는 '모든 모임원이 즐겁게 참여하고, 다 같이 어울릴 수 있도록 하는 것'이 저의 운영 모토였기 때문에, 모든 모임원께 개별 연락을 통해 여러 가지 의견들을 물었습니다.

연락을 취해보니, 제가 운영하는 '모임과 단체 대화방은 너무 좋았고, 소속감을 느낀다'라고 하는 의견이 대부분이었습니다. 하지만, 이러한 의견을 낸 분 중에는 대화방에서 아무런 말이 없고, 참여율이 저조한 분들이 계셨습니다. 음주 가무를 좋아하는 분들이 이런 분들을 정리해 달라는 요청이 있었지만, 참여율이 저조했던 분들의 의견은 또 달랐습니다.

참여율이 저조했던 분들의 의견은 이러했습니다. "이미 친한 분들끼리 무리가 만들어져 있어서, 대화에도 모임에도 참여하기가 어려워서 참석할 수 있는 때를 보고 있었어요."라고 말이죠. 그렇기에, 저는 모임을 운영하는 모임장으로 이분들을 특정 세력의 요청만 듣고, 강제 퇴장 처리를 할 수 없었습니다. 결국 "조금 더 자주 참석해 주세요. 같이 즐겁게 운동해요."라고 마무리할 수밖에 없었습니다.

그리고, 이들의 상황을 대변하며, 무리를 형성했던 사람들에게도 이러한 사정을 이야기했지만, 그들은 '본인들만의 재미있는 모임'을 만들고 싶다는 마음이 컸는지, 본인들을 위한 운영만을 요청해 왔습니다. 설득을 한 결과 일부의 반발적인 요청은 잠재웠지만, 완벽하게 처리된 것은 아니었습니다. 언젠가 또다시 문제가 될 일이었지만, 임시로 해결했던 것뿐이었죠.

모두가 즐거운 모임

모두가 즐거운 모임을 운영하는 것은 정말 이상적인 생각일까요? 모임을 운영하면서, 인간관계에서 벌어지는 일이 모임 내에서도 그대로 벌어지다 보니 어떻게 운영해야 모두가 즐거운 모임이 될 수 있을지에 대한 고민이 커졌습니다. 그러던 중 모임원 중 한 분이 이런 이야기도 했습니다. "어차피 모임도 하나의 인간관계인데, 못 어울리는 사람들까지 챙겨야 해요? 못 어울리는 건 본인의 문제고, 그러면 본인이 알아서 나가겠죠." 이렇게 말하는 분도 있었습니다. 개인적으로는 충격을 받았지만, 어느 정도 맞는 부분도 있었습니다. 하지만, 모임에서까지 이렇게 잔인하게 강자 생존 방식을 적용하고 싶지는 않았습니다. 적어도, 제가 운영하는 모임에서는 모두가 편하게 어울릴 수 있도록 돕고 싶었죠.

앞으로 차차 이야기를 풀어나갈 것이지만, 음주 가무를 좋아했던 분들끼리 파가 나뉘었고, 결국은 그분들끼리 저와 똑같은 모임을 만들어서 나가게 되었습니다. 음주 가무를 좋아하던 분들은 모임을 운영하는 동안 이런저런 잡음을 만들고, 어려움을 만들었던 분들이었습니다. 나중에는 그들끼리 모여 놀 수 있는 저와 똑같은 모임을 카피해서 나가는 모습을 보고 여러 가지 감정을 느끼긴 했지만, 그 과정에서도 의연하게 대처할 수 있었습니다.

23. 빌런, 그 마지막 이야기.

빌런은 빌런을 알아본다.

오늘 이야기는 지난번 이야기와 이어지는 이야기입니다. 좋았던 이야기가 아닌, 안 좋았던 이야기를 이렇게 나눠서 풀어나가려고 하다 보니, 글을 쓰는 동안 힘들기도 하고, 이야기의 진행이 더뎠습니다. 앞으로도 밝은 이야기보다는 무거운 이야기들이 이어질 예정이지만, 삶은 즐거움만 있는 것이 아닌, 고통을 어떻게 잘 극복하고, 이겨내느냐가 중요한 것이라 생각하며, 계속 글을 써나가겠습니다.

지금까지의 빌런은 '예민·집착 빌런, 남자라면 무조건 좋아·여자라면 무조건 좋아 빌런, 프로 지각 빌런, 음주가무 빌런' 이렇게 4가지 종류의 빌런이었습니다. 마지막은 특정한 빌런이 아닌 '빌런은 빌런을 알아본다.'라는 내용으로 이야기를 진행하려 합니다.

살아가다 보면 수백 번은 들어보았을 이야기가 있죠. 그 중 하나가 '사람은 끼리끼리 논다.'라는 말이에요. 저도 살아가면서, 이 말은 정말 수백, 수천, 수만 번도 더 들어본 말이었어요. 그저, 있는 말인 줄 알았지만, 많은 사람이 수없이 하는 이야기는 그만한 이유가 있죠. 저도 살아가다 보니, '정말 끼리끼리는 사이언스'라는 걸 종종 느끼곤 해요. 사람은 '나와는 다른 사람, 다른 환경에 있는 사람, 다른 생각을 하는 사람 등등 다른 것을 불편해하거나, 배척하려 합니다.' 이러한 성향은 나이가 들수록 더욱 강해집니다.

나이가 든다는 건, 나의 성향과 가치관과 생각 등 모든 것이 굳어진다는 것을 뜻합니다. 그렇기에, 나에 대한 색깔은 더욱 뚜렷해지고, 색깔이 뚜렷해지는 만큼, 나와 다른 색은 금세 알아채고, 배척하게 됩니다. 그리고, 나와 동색(같은 색)은 기가 막히게 알아보고, 금세 친해지죠. 모임에서도 이와 다르지 않아요. 아니, 모임이라고 좁혀서 이야기했지만, 사실 사람이 살아가는 과정에 있어서 '나와 다른 것은 불편하다. 그리고, 나와 닮거나 비슷한 것은 편하다.'라는 생각은 누구나 하죠. 그리고, 불편한 것은 배척하려 하고, 편한 것만 취하려 하기 마련이에요. 이러한 성향은 학교에서 친구를 사귈 때, 사회생활을 할 때, 취미 생활을 할 때, 연인을 만날 때 등등 언제나 드러나기 마련이에요. 나와 닮은 사람과 친해지기 쉽고, 나와 다른 사람과는 충돌이 일어나기 마련이죠. 그렇기에, 그들끼리 어울리게 되는 것이 자연스러운 현상입니다.

모든 것이 그렇듯, '끼리끼리'라는 말이 나쁘기만 한 것은 아니에요. 비슷한 것들끼리 조화롭게 어울려 살아가는 것은 당연한 현상이죠. 오히려 더 좋은 결과를 만들어 내기도 해요. 하지만, 늘 그렇듯, '무엇이든 그것을 활용하고, 행하는 사람이 문제다.'라는 것처럼, 끼리끼리도 좋은 활동과 행동을 하는 사람끼리 모이면 긍정적인 영향을 만들지만, 나쁜 활동과 사람들에게 해가 되는 행동을 하는 사람끼리 모이면, 강력한 사회 범죄조직이 되기도 하는 것을 뉴스나 다양한 기사들을 보면 아실 거예요.

하나의 나쁜 개인도 사회에 강력한 영향을 미치지만, 이러한 나쁜 활동을 하는 것이 개인이 아닌 조직화하면, 사회에 끼치는 악영향은 상상을 초월하죠. 이러한 예시는 너무 극단적인 예시예요. 하지만, 제가 들 예시는 이렇게 극단적인 예시가 아닌, 우리 주변에서 흔히 볼 수 있는 안 좋은 예입니다.

앞선 빌런 이야기에서 등장했던 '예민·집착 빌런, 남자라면 무조건 좋아·여자라면 무조건 좋아 빌런, 프로 지각 빌런, 음주 가무 빌런'이 4가지 빌런은 모두 친한 무리의 사람들이었어요. 정말 개별 개별적인 특이점을 가진 사람들이 아닌, 자주 어울리고, 자신의 목소리와 주장이 크고, 파를 만들었던 사람들의 무리에서 모두 발생했던 이야기였어요.

개인적으로 이분들은 한 분 한 분 모두 좋은 분이라고 생각해요. 하지만, 좋은 사람과 그들이 가진 안 좋은 특성은 또 다른 문제예요. 그들이 자신의 안 좋은 습관이 타인에게 피해가 된다는 것을 알고 고치면 별다른 문제가 되지 않습니다. 하지만, 한번 만들어진 습관은 굉장한 노력과 바꿔려는 노력을 하지 않으면, 고치기 어렵습니다.

정말 신기한 것은 빌런이라고 지칭된 분들은 처음부터 서로를 알아본 것인지 수많은 회원분 중에서 그들끼리 서로를 편하게 생각하고, 만난 지 30분 만에 말을 놓고, 절친처럼 지냈습니다. 처음에는 그저 '사교적이라서 금방금방 친해지나 보다.' 했었지만, 아니었죠. 그냥 서로가 닮아서, 닮은 사람끼리 빨리 친해진 것이었어요.

이분들이 본인과 다른 성향을 가진 회원분들과도 친밀하게 친해졌다면, 사교적이라서 친해진 것이 맞았겠지만 자신과 다른 사람들과는 잘 어울리지 못했으니 사교성 때문에 친해진 것은 아니었습니다.

이분들은 다른 성향을 가진 분들은 오히려 싫어하거나,

배척하는 모습을 보였어요. 예를 들면 8명씩 다 같이 운동할 때, 서로 3~4명씩 이야기를 하고, 돌아올 때는 또 다른 분들과 이야기하고, 하는 식으로 서로 친해질 수 있도록 했었죠.

하지만, 이분들은 서로 친한 사람들끼리만 대화하고, 같이 운동하려는 성향이 강했어요. 꼭 2~3명씩 친한 분들끼리 운동 일정에 맞춰 참석하면서, 그분들끼리 이야기를 하곤 했죠. 간혹, 그들과 결이 비슷한 사람이 나오면, 그 분들을 끼워서 이야기했어요. 하지만, 그분들과 다른 성향의 회원분이 나오면 그분이 아무리 오랫동안 활동을 했어도, 대화할 생각조차 하지 않았습니다. 물론, 사람은 편한 것을 좋아하고, 찾는 성향이 있다는 것을 압니다. 저 역시 그러니까요. 하지만, 이왕 모임에 참여하는 거 내가 좋아하는 사람과 어울리기보다 다양한 사람과 대화를 시도해 보면서 다 같이 어울리는 경험을 해보는 것이 더 좋지 않을까요? 사실, 많은 사람과 어울리려고 참여하는 것이 모임의 묘미잖아요.

단체 활동에서 안 좋은 행동

모임도 단체 활동 중 하나입니다. 단체 활동을 할 때 안 좋은 행동에는 어떤 것들이 있을까요? 앞선 빌런 이야기에서도 소개했듯이 빌런의 행동에 해당하는 것이 안 좋은 행동의 예인 것 같아요. 빌런 분들은 무리 짓는 것을 좋아했습니다. 단체 대화방에서도 본인들끼리 이야기하고, 이야기 흐름과 관계없이 대화에서 빠졌다가 또 우르르 이야기했다가를 반복했어요. 다른 분들이 이야기할 때는 무시하는 식의 태도도 보였죠. 그리고, 그분들끼리 따로 놀러 다니는 경우도 잦았습니다. 그러다가, 불편한 문제가 생기거나 본인들이 바라는 대로 모임이 운영되지 않을 때면, 언제나 불만을 제기하는 식이었어요. 공지하고, 제재하려고 하면, 운영 방침에 따르기보다, 그들끼리 무리 지어 모임 운영과 관련한 이야기를 주고받고 잡음을 만들었습니다.

어쩔 수 없는 것.

모임을 운영하는 모임장으로써 문제가 생기면 항상 했던 생각이 있습니다. "내가 조금 더 현명하게 운영하면 좋아지지 않을까? 내가 뭘 미흡하게 대처했던 걸까?" 하는 생각들입니다. 하지만, 시간이 지나고 알게 된 것이 있습니다. 이는 리더의 탓이 아닌 어쩔 수 없는 것이었다는 것을요. 세상에서 제일 어려운 것이 사람의 마음이라고 하잖아요. 아무리 리더여도 모든 사람의 마음을 알 수 없고, 또 그들의 마음을 리더의 마음대로 움직일 수도 없어요. 만약, 그게 가능하다면 권력과 힘으로 움직이는 것이겠죠. 하지만, 저는 그렇게 운영하고 싶지 않았어요. 그리고, 결국은 모임에서 계속 불만과 잡음을 만들던 그분들은 그분들끼리 여러 가지 이야기를 한 후, 한 분씩 모임을 나가기 시작했어요. 단체 방에서는 인사를 하고 나간 분도 계셨지만, 말없이 그분들끼리 한 번에 싹 나가기도 했습니다. 예상했던 바였지만, 꽤 친하게 지냈다고 생각했던 분들이 개인적인 연락도 없이, 아주 오랫동안 계획해 왔다는 듯이 싹 나가버리는 걸 보고, '너무 정 주지 말걸.' 하는 생각이 들었습니다.

사람의 욕심은 끝이 없다.

안 좋은 일은 한꺼번에 몰려온다고 하던가요? 모임을 나간 분들은 모임을 나가기 전부터 그들끼리 저와 똑같은 모임을 만들 생각을 하고 있었던 모양이었어요. 이분들이 모임을 나간 뒤, 저와 똑같은 모임을 개설한 것을 알고 나서야 깨닫게 되었습니다. 이분들이 모임에 잡음을 만들어 내기 시작한 그 순간부터 그들은 모임에 드문드문 참석하면서, 모임에 대한 불만과 잡음을 다른 회원들에게 이야기하면서 제 모임의 회원들을 한 분씩 물밑 작업을 해놨던 모양이에요. 한 사람이 이야기했다면, 다른 회원분들도 "그냥 그렇구나." 했을 것도 이분들이 단체 대화방에서 그리고, 모임이 열리는 운동 시간을 활용해서 무리 지어 다른 회원분께 접근해서 이런 이야기를 반복하니, 불만이 없던 사람도 "정말 그런가?" 하고 흔들리게 되었죠. 그렇게, 이분들이 물밑 작업했던 회원분들은 이분들을 따라 모임을 나갔습니다. 사실, 이제껏 별다른 문제 없이 만족한다고 하던 분 중에서 이런 모습을 보인 분들이 계셨기에 그 충격은 배가 되었습니다. 빌런 무리 중에 3명은 저와 아주 가깝게 지내던 분들이었습니다. 그리고, 그 사람들이 모임을 나갈 때는 그렇게 "우리 가까운 사이잖아."를 외치던 사람들이 인사조차 없이 나갔습니다. 그러고는 나가자마자 보란 듯이 모임 플랫폼에 제 모임을 그대로 카피한 모임을 만들어서 제 기존 회원분들과 함께 있는 것을 보고 참 많은 생각이 들었습니다. "아, 다른 생각을 하느라 운영하는 내내 그렇게 방해하고, 운영을 힘들게 했던 거구나." 하고요. 결국, 그들의 욕심은 다른 곳에 있었고, 제가 그에 대해 잘 대처하지 못한 탓에 비싸고도 무거운 경험을 했습니다.

사건은 그저 사건일 뿐이다.

비록 모임을 운영하며 여러 잡음을 만들고, 힘들게 했지만 그만큼 정도 들었던 회원분들이었습니다. 하지만, 그분들이 나가고 난 후 저와 똑같은 모임을 만들고, 기존 회원들을 데리고 나가는 것을 보며 마음이 힘들던 때도 있었습니다. 하지만 저는 이내 마음을 다잡았습니다. '나쁜 성향의 사람들이 모여서, 똑같이 베꼈다고 한들, 좋은 결과를 볼 수 있을까? 결국 모든 것은 돌고 돈다고 하고, 인과응보가 있다고 하는데, 그들은 그들만의 벌을 받겠지.'라고 저에게 계속 다독였습니다.

사람 자체는 나쁜 사람이 없다고 하죠. 하지만, 내가 어떻게 행동하느냐, 혹은 다른 사람에게 피해를 주는 행동을 알면서도 계속하는 사람이라면, 결국 그 사람의 행동이 나쁜 것이 아닌, 그 사람 자체가 자기 행동으로 나쁜 사람이 되는 거라고 생각합니다. 모임을 운영하기 전의 저였다면, 이런 상황에 대응조차 못 하고 울면서 주저앉아 좌절했을 거예요. 하지만, 사람들과 자꾸 어울리고, 이러한 여러 가지 활동을 하면서 저는 달라졌습니다. '사람에게 상처받았을 때, 어떻게 행동하면, 그 상처가 더 커지지 않고, 잘 극복할 수 있는지를 알고, 그에 따라 행동할 수 있는 사람'이 되었습니다.

제5부. 모임 운영을 통해

배운 인생 교훈

24. 함께 만들어 간다는 것의 의미

모임에서 운영진이 필요한 이유

인간관계를 맺는 방식은 크게 두 가지로 나눌 수 있습니다. 넓고 얕은 관계를 맺는 방식과 좁고 깊은 관계를 맺는 방식입니다. 관계를 맺는 방식에 대한 정답은 없습니다. 사람들은 저마다 본인에게 맞는 방식으로 관계를 맺으며 살아갑니다. 저의 경우, 원래 내향형 인간이었기에 후자의 인간관계 방식이 편한 사람이었습니다. 하지만, 모임을 운영할 때는 제가 편한 방식으로 관계를 맺는 것이 아닌, 공적인 방식으로 관계를 맺어야 했습니다.

공적인 방식으로 관계를 맺는다는 건, 저에게 익숙한 인간관계 방식이 아닌, 저에게 어렵고, 불편한 방식으로 관계를 맺는 것을 의미합니다. 모임을 운영하는 모임장의 경우, 사교적이어야 합니다. 그리고, 모임에 참석한 모임원들이 모임에 잘 스며들 수 있도록 돕고, 적극적으로 모임원과 소통할 수 있는 성향을 가진 사람일수록 유리합니다. 저의 경우, 좁고 깊은 관계에 익숙했기에 사교적이고, 적극적인 인간관계를 맺는 방식이 참 어려웠습니다. 하지만, 어렵다고 포기할 수는 없었습니다. 이미, 모임을 만들었고, 운영하는 모임장이 되어 있었으니까요.

그런 제가 모임을 운영하기 위해 한 가지 방법을 터득하게 되었습니다. "아! 내가 내향적이어도 외향적인 운영진이 있으면 모임을 운영하는 데 무리 없겠는데?"라고 말이죠.

운영진이 뭘까?

모임을 운영하면, 모임장과 운영진 그리고, 회원 이렇게 구성됩니다. 그리고, 모임장과 운영진은 긴밀한 관계를 맺으며 모임을 조금 더 재미있고, 모임의 원래 취지에 맞게 운영하도록 협력하는 사람들입니다. 운영진은 모임 활동을 오래 한 사람, 모임에 대한 이해가 높은 사람 그리고,

모임을 운영하는 데 필요한 역량을 갖춘 사람으로 선정되는 경우가 대부분입니다. 저의 경우, 저의 소극성을 보완해 줄 적극적인 사람을 운영진으로 뽑았습니다. 운영진으로 뽑힌 친구는 모임을 운영해 본 경험은 없었지만, 20살 때부터 각종 모임 활동을 다 참여해 본 친구였습니다. 기본적으로 다양한 사람을 만나고, 이야기하는 것을 좋아하고, 사람과 어울리는 것 자체를 좋아하는 전형적인 마당발 성향의 친구였습니다. 저와 반대되는 성향을 지닌 친구는 운영진이 되고 나서 저와는 다른 방식으로 모임을 운영했습니다. 예를 들면, 저의 경우 개별적인 연락 대신, 전체적인 공지와 소통 방식을 선호했다면 운영진 친구는 개별적인 연락과 소통 방식을 선호했습니다. 그래서, 운동이 열리는 날이면 일일이 사람들을 태그하고, 개별 연락을 통해서 공지하고 모임에 참석하도록 유도했습니다.

함께하는 이유는 상호보완

저와 다른 방식으로 운영했던 운영진 친구 덕분에 모임은 조금 더 활발해졌습니다. 저는 하나를 실행하더라도 많은 고민 끝에 하나씩 운영을 하는 스타일이었다면, 이 친구는 여러 개를 동시다발적으로 진행하는 스타일이었습니다. 이렇게 정반대되는 성향의 사람이 모임을 함께 운영하면서, 모임의 규모는 점점 더 커져갔습니다. 그리고, 혼자였다면 운영하기 힘들었을 규모가 되었을 때도 운영진 친구가 있었기에 모임 운영이 수월했습니다.

함께할 때 감수해야 할 것.

모임장과 운영진의 관계는 모임장의 성향에 따라 달라집니다. 예를 들어 모임장이 1인 체제로 수직 관계에 따라 운영하는 경우, 모임장과 운영진의 관계는 사장과 팀장과 같은 관계가 될 것입니다. 반면, 모임장이 권력을 나눠서 함께 운영하는 성향의 사람이라면, 동업자의 관계처럼 형성될 것입니다. 저는 함께 하는 것을 좋아하는 사람이라 저의 경우는 동업자로 생각하며, 운영진 친구와 함께 모임을 꾸려나갔습니다. 하지만, 함께 운영한다는 것은 좋은 점과 함께 어려운 점도 있었습니다.

권력을 나눠주는 만큼, 그에게 휘둘리지 않아야 한다는 것이 가장 큰 부분이었습니다. 그리고, 파트너이기에 무엇 하나를 진행할 때도 수월하게 진행되는 것이 아닌 설득과 협의의 과정이 꼭 필요했다는 점입니다. 이에 관한 이야기는 다음 화에서 풀어나가겠습니다.

25. 권리만 찾고,
책임은 회피하는 사람들

갈등은 피할 수 없다.

오늘의 이야기는 앞선 이야기와 이어지는 이야기입니다. 운영진 친구와 모임을 동업자 관계처럼 운영하면서 겪었던 '함께할 때 감수해야 할 것'에 대한 이야기입니다.

권리 혹은 권력이 좋습니까?

높은 자리에 앉는 것을 좋아하는 사람이 있고, 높은 자리를 준다고 해도, 싫어하는 사람이 있습니다. 전자는 권력 지향형 사람일 거예요. 후자는 권력보다는 다른 것들을 좋아하거나 혹은 자리가 주는 무게에 대해서 잘 알고 있는 사람일 거예요. 평범한 사람들은 전자를 선호합니다. 친구들 관계에서도 우위에 있고 싶어 하고, 모임에서도 '한자리'하고 싶어 하고, 회사에서도 더 높은 직책을 맡고 싶어 하고, 사회에서도 돈을 많이 벌어서 사람들의 인정을 받고 싶어 하죠. 대부분의 사람들은 모두 위만 바라보고 살아갑니다.

운영진을 선정하기까지

처음으로 제 모임을 함께 운영할 운영진이 필요한 순간이 다가왔습니다. 누군가에게 처음으로 위임을 해보는 거라 그조차 제게는 쉽지 않았습니다. 하지만, 꼭 필요한 과정이었기에 제가 가장 먼저 고려했던 것은 다음과 같습니다. '진심으로 모임을 잘 운영해 줄 사람이며, 사람들에게 잘 대해줄 수 있는 사람'이었습니다. 하지만, 막상 기준을 설정하고 보니 특출나게 사람들과 잘 어울려 보이는 사람은 없었습니다. 그도 그럴 것이 모두 회원으로 참여하다 보니, 사람들과 뛰어나게 잘 어울리고, 이끄는 사람이 눈에 띄기란 어려웠습니다. 하지만, 그중에서도 유독 몇몇 사람들은 사교성이 뛰어난 것 같은데? 하는 사람들이 있었습니다. 그렇게 저는 고민한 끝에 사교적인 사람 중에서도 '운영진을 희망하고 그나마 타 모임 활동에 참여한 적이 많은 사람. 그리고, 운영에 대한 경험이 조금이라도 있는 사람'을 뽑기로 했습니다.

운영진이 되고 싶어 했던 사람의 마음

운영진 친구는 제가 운영하는 모임을 통해 만나게 됐습니다. 매우 활동적이고, 적극적인 친구였습니다. 그리고, 본인에 대한 장점도 모임에 참여하는 날이면, 적극적으로 어필을 했기에, 조금 더 '운영진을 맡아주면 좋겠다'라는 생각이 들었는지도 모르겠습니다. 해당 친구가 운영진을 하려는 이유는 명확했어요.

첫째. 본인이 타 모임에서 운영진으로 여러 번 활동한 경험이 있었다는 것
둘째. 제가 모임을 운영하는 방식이 강압적인 것이 아닌, 자율적으로 돌아가게 만들어 두었다는 점

이 두 가지가 운영진 친구가 제 모임에서 운영진을 맡고 싶었던 가장 큰 이유였다고 해요. 운영진을 하면, 마냥

좋고 권력을 누릴 수 있을 거로 생각하지만 사실은 그만큼 책임도 따르는 자리이다 보니, 명확한 이유가 있는 사람이 하는 것이 좋습니다.

운영진이 되면 좋은 점.

운영진 친구가 운영진을 하며, 가장 좋아했던 점은 모임장과 같은 권한을 부여받았다는 점이었어요. '본인이 원하는 날에 모임을 열 수 있다.'라는 장점을 가장 크게 느낀 듯했죠. 그날만큼은 그 친구가 모임장처럼 활동하고, 모임을 운영할 수 있는 날이었기 때문입니다. 제가 운영진 친구에게 권한은 많이 주되, 바랐던 것은 단 한 가지였습니다. 그저, '단체 대화방에서 조금 더 원활할 수 있도록 도와주는 것.' 그것 하나였어요. 그랬기에 운영진 친구는 조금 더 재밌게 운영진 역할을 맡아주었습니다.

함께할 때의 장점

함께 운영할 때의 가장 좋은 점은 같이 성장한다는 것에 있습니다. 운영진이었던 친구는 초반에 제가 플랫폼 활용에 대해 서툰 부분을 알려줬습니다. 그리고, 모임에 가입한 후, 활동하지 않는 회원들에게도 개별 태그를 통해서, 모임에 참석할 수 있도록 유도를 해주었죠. 운영진 친구와 함께 운영하면서, 제가 바랐던 방식으로 운영되었던 것은 아니었지만 저와 다른 사람의 방식과 합쳐지면서 서로 성장할 수 있었습니다.

함께할 때의 단점

하지만, 모든 건 '좋음과 싫음', 장점과 단점, 긍정과 부정 등 양면이 존재하듯, 함께 운영하면서 장점만 있는 것은 아니었습니다. 앞에서 잠깐 언급한 것처럼 제가 운영하려는 방향과 운영진의 운영 방식이 달랐던 부분에서 문제가 발생했습니다. 운영진 친구는 운영하면서, 너무 많은 사람을 무작위로 받아들이고, 또 한 번씩 본인이 필요하다고 생각하면 너무 많은 사람을 강제로 퇴장시켰습니다. 이 모든 과정에서 저와의 의견 공유 과정이 있었고, 저보다는 많이 아는 친구고, 틀린 것은 아니라는 생각에 그 친구가 제안하는 방식대로 운영을 맡겼습니다. 문제는 운영진인 친구가 저보다 더 의견을 내세우거나 관철하는 것이 강한 성격이었고, 어느 순간 운영진 친구가 마음대로 운영하려는 것이 보였어요. 함께 운영하는 것이 아닌 어느 순간 단독으로 운영하려는 방향으로 흘러가게 된 것입니다. 이 과정에서 회원분들은 운영진 친구의 독단적인 성향 때문에 이 친구의 운영할 때, 말투가 '강압적이다.'라는 말이 들려오기 시작했죠. 그렇게 불만은 하나둘씩 쌓여갔습니다.

너무 많은 권한 위임은 위험하다.

모임을 운영하는 것이 처음이었던 터라 제가 가장 크게 한 실수는 너무 많은 권한 위임이었습니다. 운영진 친구를 믿었던 것도 있었고, 모임은 즐거운 활동이라는 생각에 권리와 권력 지향적으로 운영하지 않고 모두가 함께 운영하는 것이 되길 바랐습니다. 하지만, 결국 이것 역시 저의 이상에 불과하다는 것을 깨닫는 일이 발생했습니다. 너무 많은 권한 위임을 해서였을까요? 운영진 친구는 본인이 운동을 여는 날에 신규 회원 참석자를 대거 늘렸고, 그 과정에서 회원들의 번호를 모두 수집했습니다. 여기까지는 괜찮습니다. 제가 위임했던 부분이었으니까요. 하지만, 이후 수집한 회원들의 번호 공유는 저에게 따로 이루어지지 않았습니다. 여기서부터 문제가 조금씩 발생하기 시작했습니다. 저는 운영진 친구와 함께 의견을 조율하려고 여러 번 대화를 나누었지만, 제가 협상을 하는데 약한 사람이었습니다. 좋은 게 좋다는 마음을 가진 사람과 자신의 주장이 강한 사람과의 대화는 한쪽의 주장에 치우칠 수밖에 없었습니다. 결국 저는 제가 모임장임에도 불구하고, 제가 원하는 방향으로 이끌어 갈 수 없었습니다. 결국 저는 운영진 친구에게 오히려 끌려다니기 시작했습니다. 그리고, 어느 정도 시간이 흐르자 결국에는 운영진 친구가 모임 장인 것처럼 저에게 일을 강요했죠. 무게의 중심이 완전히 한쪽으로 기울어 버린 것입니다.

권력의 추가 기울다.

예를 들면 이러했습니다. '모임에서 생기는 돈은 나에게 절반을 줘'라든가, 모임에 단체 공지할 사항이 생기면, 같이 회의한 내용을 '네가 정리해서 나한테 보내주면, 내가 확인할게. 그리고 공지는 네가 하고'라는 식이었죠. 주객이 전도된 상황이었죠. 갑갑함을 느꼈지만, 그렇다고 대화로 풀어갈 수 있는 상황도 아니었습니다.

이 친구가 모임에서 공지할 때, '네가 해'라는 것은 저의 '권한을 인정해 주기 위함'보다는, 공지 내용에 대한 회원들의 불만을 저에게 돌리기 위함이었습니다. "함께 논의는 했지만, 책임은 네가 져."라는 포지션을 택했던 거죠. 저는 제가 운영하는 모임이니, 공지하고 그에 대한 책임을 기꺼이 졌습니다.

권한만 누리고 싶을 뿐이야.

이렇게 함께 운영하고 있었지만, 어딘지 이상한 동업이 계속되었습니다. 진정으로 모임을 함께 운영하고 책임을 지는 것이 아닌, "책임은 네가, 권리는 내가 누릴게." 하는 식으로 운영이 이루어지다 보니, 모임을 운영하는 것이 점점 어렵게 느껴졌습니다.

누군가 이렇게 말할지도 모르겠습니다. "그럼, 운영진의 권한을 빼앗으면 되는 것 아니야?"라고. 하지만, 이 문제 역시 쉽지 않은 문제였습니다. 누군가에게 주기는 쉬웠지만, 줬던 것을 빼앗는 것은 반발이 심한 문제였으니까요. 모임을 운영하면서 즐거웠던 날도 많았지만 그만큼 어려움을 겪은 날도 많았습니다. 그때마다 저의 약점들을 봐야 했습니다. 하지만, 포기하지 않았습니다. 그저, '어떻게 하면 이 상황을 잘 극복할 수 있을까? 내 약점은 한번은 극복해야 할 문제야.'라고 생각하며 계속 나아갔습니다.

26. 가스라이팅은 이렇게 당하는 겁니다.

가스라이팅을 당하는 이유.

오늘은 살아가다 한 번쯤 겪게 되는 '가스라이팅'에 대해 이야기를 해볼까, 해요. 가스라이팅에 대한 이야기를 시작하기에 앞서, 어원을 먼저 소개하겠습니다.

가스라이팅 단어의 유래

가스라이팅은 1938년 패트릭 해밀턴 작가가 연출한 스릴러 연극 '가스등'에서 유래된 '정신적 학대'를 일컫는 용어예요.

가스라이팅 과정

가스라이팅 가해자는 피해자의 기억을 지속해서 반박하거나 실수를 과장하는 왜곡을 통해 피해자가 자신을 스스로 의심하게 만든다. 또 피해자의 요구나 감정을 하찮게 여기거나, 실제로 발생한 일을 잊은 척하거나, 부인하는 행위를 지속한다.

가스라이팅을 하는 가해자가 사용하는 표현 예시

가족 간에 쓰이는 가스라이팅의 예시는 "다 너를 위해서 하는 말이야.", "너는 착한 딸(아들)이잖아.", "아이고, 다 너를 낳은 내 죄지." 등의 표현이 이에 해당한다. 연인 간에 쓰이는 가스라이팅의 예시는 "나 아니면 누가 너를 만나겠니?", "네가 너무 예민한 거야.", "옷을 왜 그렇게 입고 다녀? 앞으로 그런 건 입지 마." 등 사랑을 명분으로 심하게 간섭하거나 강요하는 형태로 나타납니다. 직장에서 쓰이는 가스라이팅의 예시는 "왜 이렇게 일을 못해? OO 씨에게 능력 밖의 일 아닌가?", "이 회사 나가면 어디 갈 데가 있을 줄 알아?", "회사 내에서 OO 씨에 대해 안 좋은 얘기가 많이 들리는데" 등의 무시하는 언행 등이 해당 사례에 해당한다.

가스라이팅에 대처하는 법

첫째. 본인이 당하는 일이 '가스라이팅'이라는 것을 인지하면, 언제든지 가스라이팅에서 벗어날 수 있다.
둘째. 가스라이팅이라는 생각이 든다면, 상대와 거리를 둘 것.
셋째. 나의 상황을 객관적으로 바라봐 줄 전문가나 제3의 조력자의 도움을 받음으로써 벗어날 수 있다.

이야기에 앞서, 이렇게 가스라이팅에 관해 설명한 이유는 우리가 어떤 단어를 사용할 때, 막연히, 그 단어에 대한 느낌만 갖고 있을 뿐, 정확한 의미를 모르는 경우가 많기 때문입니다. 저 역시, 가스라이팅에 대한 단어는 알고 있었지만, 정확한 의미는 몰랐습니다. 하지만, 사전적 정의를 찾아보며, "아, 내가 겪은 그때의 그 상황이 가스라이팅이었구나."라는 것을 알게 되었습니다.

가스라이팅의 과정

제가 겪은 가스라이팅은 아이러니하게도 운영진 친구에게 겪은 것이었습니다. 처음에는 잘 도와주는 것 같았지만, 얼마 되지 않아, 문제는 슬슬 나타나기 시작했습니다. 운영진이었던 친구는 평소 말버릇이 하나 있었는데, 항상 자신에 대해 과장되게 이야기한다는 것이었습니다.

예를 들면, "나 인맥 정말 많아. 나 사람 잘 볼 줄 알아. 모임 참여 경험 정말 많아." 등등의 말들이었죠. 처음에는 그저 그 말을 듣고 흘렸어요. 어차피 제가 직접 본 것이 아니면, 믿는 스타일도 아니고, '그냥 말버릇처럼 저런 말을 하는 친구구나.' 하고 말았어요. 하지만, 모임을 운영하면서, 슬슬 힘들어지기 시작한 시점부터 모든 건 어긋나기 시작했어요. 수많은 사람의 말이 들려왔고, 가까웠던 지인의 예상치 못한 행동과 여러 가지 스트레스 상황이 겹치면서, 모임을 정리할까, 하고 생각하던 때가 있었습니다. 당시에는 운영진이 아니었던 친구가 제게 이렇게 말했습니다.

"바닥 좁다? 네 마음대로 모임 없애면 다른 회원들은 어쩌라고? 불만 없겠어? 아무리 네가 모임장이라지만, 네 마음대로 모임을 없애는 건 아닌 것 같다."라는 말이었죠. 그러면서 한마디를 더 덧붙였습니다. "나는 지금 이 모임 좋아. 너 힘들면, 내가 모임 운영하는 거 도와줄게. 그러면 되지 않겠어?"라고 말이죠. 그의 말에 여러 가지 생각이 스쳐 지나갔어요.

'맞아, 내가 힘든 건 맞지만, 내가 힘들다고, 모임을 없애는 건 아닌 거 아닐까? 그래, 앞으로 어떻게 될지 모르겠지만, 할 수 있는 데까지 최선을 다해보자. 그리고, 이 친구도 도와준다고 하니까, 도움을 받으면 조금 더 나을지도 몰라.'라고 말이죠. 그렇게 다시 한번 힘을 내어, 모임을 운영하기로 했어요. 여전히 마음 한편에는 버거움도 있었지만, 저 역시, 너무 쉽게 모임을 없애는 건 아니라고 생각했어요. '정말 너무너무 힘들 때, 그때 없애도 괜찮다.'라고 말이에요. 그렇게 모임은 점점 커졌습니다. 그러다 모임이 커지면서 문제 상황도 함께 발생하기 시작했습니다. 그 중심에는 제가 그래도 가장 믿고, 마음을 많이 줬던, 지인이 얽혀 있었습니다. 그러면서, 제 마음이 약해졌던 것 같습니다. 평소라면 흔들리지 않을 일도 마음이 약해지자 흔들리는 일이 많아졌습니다. 그러면서, 가스라이팅에도 휘둘리게 되었습니다.

가스라이팅에서 벗어나게 된 계기

한참 모임을 운영하며, 여러 가지 안 좋은 사건들을 겪을 시기쯤에 다른 곳에서 제안을 하나 받았습니다. 모임을 크게 운영하던 모임장이자 사업가였던 아는 분의 제안이었습니다. "모임 운영하는 것 알고 있었다. 내 모임 운영을 좀 도와줄 수 있겠어?"라는 제안이었습니다. 저보다 경험이 많은 분이었고, 모임을 통해 수익화하던 분이었기에 그 제안은 제 마음을 흔들기에 충분했습니다. 그리고, 그분과의 여러 차례 미팅을 통해 제가 모임을 운영했던 과정들에 관한 이야기도 나왔습니다. 제 이야기를 듣더니 그분이 이렇게 말했습니다.

"걔 너 가스라이팅 하는 거야. 제가 뭔데, 사람들을 많이 알고 있느니 마네. 바닥 좁네 마네 하는 거야? 그런 말 하는 애들치고, 진짜로 사람들 많이 알고 힘 있는 애 없어."
"그리고, 네가 모임 장인데 모임 없애겠다면, 없애는 거지. 제가 뭔데 없애지 마라. 모임 넘기라 말라 하는 거야?" "거기에 휘둘리지 마."라고 말이죠.

한마디의 깨달음

그분의 한마디로 깨달았어요. "아, 내가 겪었던 상황이 가스라이팅이었구나."라는 것을요. 그제야, 상황이 아닌 제 마음을 천천히 돌아봤습니다. 그러자, 그동안 모임을 운영하면서 느꼈던 두려웠던 제 모습이 보였습니다. 낯선 사람들 그리고, 그들과 가깝고도 먼 동행. 그것이 저를 늘 두렵고 불안하게 만들었던 것이었습니다. 진짜 깊은 곳에 감춰뒀던 저의 진심을 깨닫자, 제가 나아가야 할 방향도 보였습니다. 모임을 운영하는 것은 함께 만들어 가는 것도 맞지만, 나의 노력이 8할 이상 들어가는 일이니 내가 힘들면 그만둬도 된다는 것을요. 주변에서 아무리 뭐라고 하더라도 그들의 말에 두려워하며 그들의 뜻에 휘둘릴 이유도 없다는 것을요. 결국 모일 것은 제가 선택하고, 제 결정대로 밀고 나가면 된다는 결론에 다다랐습니다.

그리고 다짐했어요. "더 이상 휘둘리지 말자!"라고.

27. 말 못 할 사정. 그리고 모임을 없애다.

내 마음대로 안 되는 것.

내 마음대로 안 되는 것

저는 드라마나, 예능 등 어떤 스토리가 담긴 프로그램을 보는 것을 좋아해요. 그래서, 한때는 지치지 않고, 무언가를 볼 수 있는 능력이 있으니 '영상편집 일을 하는 건 어떨까?' 막연하게 생각했던 때가 있었어요. 이렇게 무언가 보는 것을 좋아하는 저는 그만큼 듣는 귀도 늘었더라고요. 한 예능에서 모 연예인이 이런 말을 했던 것이 기억에 남아요.

"제가 몸매 관리를 지독하게 할 수 있었던 이유는 세상에 내 마음대로 되는 게 하나도 없더라고요. 근데, 내 몸만큼은 내가 노력한 만큼 결과물이 나오니까 열심히 관리할 수밖에 없어요."라는 말이었죠.

당시에 이 말을 듣자마자 마음에 와닿았었는데, 지금까지도 기억에 남는 걸 보면 '정말 공감되기도 하고, 임팩트 있었던 말이었다.'라는 생각이 들어요. 맞아요. 살아가다 보니, 내 마음대로 되는 게 하나도 없더라고요. 특히, 인간관계에서는 더 그렇다는 걸 느껴요. 저 말을 했던 연예인의 경우 '자신은 마음대로 된다.'라고 했지만, 저는 '나 자신도 마음대로 안 된다.'라고 생각하거든요. 아마 대부분의 사람이 저와 비슷하지 않을까 해요.

나 자신이 내 마음대로 된다면, 내가 살을 빼고 싶을 때 언제든지 빼고, 모든 세상 사람이 다이어트로 걱정할 필요가 없겠죠. 그리고, 시험공부를 해서 합격하고, 원하는 곳에 취업하는 것들도 내 노력으로 다 이룰 수 있었을 거예요. 하지만, 현실은 그렇지 않죠. 그래서, '삶은 힘들다.'라고 하는 것 같아요. 다행히 위 연예인은 자신만큼은 자신 마음대로 된다고 하니, 성공한 것이 아닐까? 싶어요.

오늘 이렇게 이야기를 시작한 이유는 오늘의 주제와 관

련이 있어요. 바로 '내 마음대로 안 되는 것'에 대한 이야기를 하려고 합니다. 저는 3개월간 모임을 운영하면서 겪은 여러 가지 시행착오들과 말 못 할 마음고생들을 하기도 하고, 기쁨을 얻은 날들도 있었어요. 하지만, 모임을 없애기 한두 달 전부터는 감당하기 힘들 정도로 스트레스를 받는 상황들이 생겼어요. 그리고, 두 달 남짓 더 큰 노력을 통해 극복하고자 했지만, '나 혼자만의 힘으로는 안 되는 것도 있다.'라는 걸 뼈저리게 깨닫게 되었어요. 어쩌면, 그냥 고집부려서 계속 운영했더라면 그것은 그것대로 운영이 됐을지도 몰라요. 하지만, 저는 힘들다고 느끼는 상황에서 계속 운영하는 것은 저 자신에게 큰 의미가 없다고 판단했습니다. 그리고, 그 판단대로 결국은 이 모든 상황을 깔끔하게 정리할 수 있는 가장 쉬운 방법 중 하나였던 '모임 없애기'를 선택했죠.

모임을 없애다.

물론 모임을 없애기도 쉽지만은 않았어요. 사실, 모임을 없애려던 생각은 모임을 없애기 하루 전에 결정한 것이었죠. 그 결정을 하게 된 계기는 가까웠던 지인을 정리하고, 모임에서 불편한 기류를 만들었던 사람들의 무리가 나갔고, 저와 똑같은 모임을 만들었던 것이 가장 결정적이었어요.

누군가는 "힘들게 만든 걸 왜 네가 없애? 재들 보란 듯이 더 운영하고, 모임을 키워야지!"라고 말했습니다. 하지만, 저는 모임 운영을 내가 무언가를 운영할 능력이 있는지 검토하기 위한 가벼운 마음으로 시작했기에, '이 정도로 힘들고 시간을 많이 빼앗고, 감정도 많이 빼앗는 일에 더 이상 나를 소모하고 싶지 않다.'라는 결론을 내렸습니다. 물론, 모임을 없애는 건 지금까지의 노력이 아깝기도 했어요. 하지만, 아깝다고, 계속 이렇게 본업도 아닌 일에 시간과 에너지를 빼앗길 수 없었어요. 결국, 모임을 없애기로 했습니다.

모임을 없는 과정 또한 수월하지 않았어요. 지인과 불편한 기류를 만들던 사람들과 마지막이 좋지 않았기에, 모임 내의 분위기도 좋지 않은 상태였죠. 그리고, 저를 도우려던 운영진 친구도 멀리서 관망할 뿐, 자신의 이익을 챙기기에 바빴죠. 관망만 했던 운영진 친구였더라도, 본인이 운영진 역할을 했다는 생각이 있는 친구라 제 마음대로 '모임을 없애겠다.' 하고, 공지할 수는 없었어요. 그랬기에, 저는 모임을 없애기에 앞서 운영진 친구와 따로 만나 이야기를 하는 시간을 가졌습니다. "이런저런 상황인 것 너도 잘 알 거고, 모임을 더 이상 유지하기 어려울 것 같아서, 없애려고 해."라고.

그러자 아니나 다를까 제가 힘든 것보다 모임 없애는 것이 싫었던 친구는 "그러면 모임 없애지 말고, 모임 나 줘."라고 하더라고요. 어이가 없었죠. 모임장 자리를 맡겨 놓은 것도 아니고, 모임을 운영하는 데 굉장한 공헌을 하거나, 내가 힘들 때 큰 도움을 준 것도 아닌 친구가 당연하다는 듯 나의 상황에는 아랑곳하지 않고, 본인 욕심 차리기에 급급한 모습을 보면서 회의감이 몰려왔어요. 그럼에도, 불필요한 갈등 상황을 원치 않았습니다. 저는 속이 타들어 가면서도 그 친구를 설득하는 아이러니한 상황이 펼쳐졌죠. 이래서 옛말에 '가까운 사람을 조심하라.'라는 말이 있는지도 모르겠습니다.

처음으로 그 친구에게 솔직하게 말했어요. "모임을 운영하면서 이런 부분들에 있어서 어려움을 느꼈고, 모임을 정리하려고 해. 그렇지만, 모임장을 너에게 주는 건 어려울 것 같아. 상황이 좋았다면, 너에게 모임을 줄 수 있었겠지만, 너도 알다시피 그럴 상황은 아니라는 거 네가 더 잘 알 거야."라고 말이죠.

그런데도, 이 친구 요구는 같았습니다. 제 모임을 자신에게 달라는 것이었습니다. 끝이 보이지 않는 대화가 이어졌고, 결국 저는 한 가지 제안을 했습니다.

"네가 꼭 굳이 내 모임에 모임장이 될 필요는 없지 않을까? 네가 모임을 만들어. 그러면, 지금 모임에 있는 사람들에게 네가 만든 모임으로 가고 싶은 사람은 갈 수 있도록 공지해 줄게. 그 정도까지는 내가 해줄 수 있을 것 같아."라고 했죠. 그러자 계속 고집을 부리던 운영진 친구가 그제야 마지못한 표정으로 저의 제안을 받아들였죠. 이렇게 상황이 마무리되는 것 같았으나 아직 끝이 아니었습니다. 그 친구는 본인은 "모임 만들지도 모르고, 글 쓰는 걸 할 줄 모르니, 지금 당장 모임을 만드는 걸 도와달라"라고 했습니다. 결국 좋은 이별과 모임 정리를 위해, 그 친구를 도와주기로 했습니다. 그리고, 모임을 만들고, 글을 쓰는 것까지 도와주고 나서야 정말 끝이었습니다. 하지만, 끝날 때 끝난 것이 아닐까요? 모임 개설을 도와주고 난 후, 저에게 또다시 요구했어요. "모임 사람들에게 내 모임으로 이동하라는 공지도 지금 하자."라고 말이죠. 그래서, 저는 모임원들에게 전체 공지로 모임을 없애게 되어 죄송하다는 문구와 함께 운영진 친구가 모임을 새로 만들었으니, 그쪽에서 계속 활동을 하고 싶은 분들은 이동할 수 있도록 하는 내용을 공지했어요.

사람의 욕심은 끝이 없다.

이렇게 대강 정리가 되는 듯했어요. 자리를 마무리하려던 중에, 그 친구는 저의 기존 모임원들에게 '가입비를 내라'라는 전화를 돌리기 시작했어요. 저는 그 친구에게 말했죠. "돈이 목적이 아니라면, 기존에 있던 회원들이 넘어가는 거니 가입비를 바로 받지 말고, 한 달 정도 뒤에 받는 게 어떻겠냐?"라고 말이죠. 처음에는 알겠다고 했던지만, 그 친구는 전화를 돌리자마자 바로 가입비를 받기 시작했습니다.

그 모습을 보며 씁쓸한 감정이 들었습니다. '이 친구는 운영을 도와주려던 것이 아니라, 모임에서 나는 소정의 가입비라는 돈이 탐났던 거였구나.' 막연하게 알고는 있었지만, 마지막에 행동하는 이 친구의 모습을 보며, 이 친구의 마음을 확실히 알 수 있었죠. 이제는 이런 상황을 어쩔 수가 없었어요. 모임에 관련된 건 이제 제 손을 떠난 일이고, 저는 제가 운영하던 모임을 어렵사리 정리할 수 있었습니다. 마지막까지 쉽지 않았던 모든 상황을 정리하면서, 한 가지 위안이 되었던 건 '이 모든 쉽지 않은 상황에서도 포기하지 않고 어떻게든 마무리 지었다는 것.'이었습니다.

가장 큰 배움은
단호해야 할 때는 단호해야 하는 것.
어설프게 가까운 사이를 강조하며, 곁에서 도움 대신
무언가를 빼앗아 가려는 목적을 가진 사람을 잘 걸러내

는 눈을 길러야 한다는 것.'을요.

28. 아름다운 이별을 하는 법

세상에 아름다운 이별이 어딨어, 그저 노력할 뿐이야.

아름다운 이별

여러분 친구 간 이별이든, 사랑하는 사람과의 이별이든, 혹은 몸을 오래 담고 있던 곳과의 이별이 되었든, 이별을 경험한 적 있으시죠? 이별할 때 항상 어떤 모습이었나요? 오늘은 이별에 관해 이야기하려고 합니다.

저는 어떤 관계가 되었든 항상 좋은 모습으로 마무리하려고 해요. 누군가의 기억에 안 좋은 사람으로 남고 싶지 않아서죠. 그리고, 타인에게 안 좋은 모습을 보이고 싶지도 않고요. 그래서, 항상 제가 입은 피해가 아무리 컸던 관계였다고 해도, 좋은 이별을 하려고 아주 큰 노력을 쏟아부었습니다. 연인과의 이별에서도 좋은 이별을 했었고, 지인과의 이별에서도 최대한 큰 싸움으로 번지지 않고, 제 마음을 잘 전달해서 마무리하려고 노력했습니다.

그리고, 제가 운영했던 모임을 정리할 때도, 모든 모임원과 좋은 이별을 하기 위해 부단히 노력했습니다. 비록, 모임원들은 당시의 상황을 어떻게 기억하고 있을지 모르겠지만 당시의 제가 할 수 있는 최선을 다하려고 했다는 것은 저의 진심이었습니다.

이별에 대하여

어떤 일을 할 때, 과정도 중요하지만, 이별의 모습 혹은 마무리 모습도 정말 중요해요. 어쩌면, 아무리 노력해도 아름다운 이별은 없을지도 몰라요. 이별은 결국 상실이 수반되는 거니까요. 이별의 과정에서 한 사람은 상처받을 거고, 다른 한 사람은 안 좋은 모습을 보이기도 합니다. 다만, 그나마 서로에게 최소한의 내상만 입도록 노력하려고 할 뿐이죠. 그것이 아름다운 이별을 하려는 최소한의 노력이 될 것이고, 그 노력이 먼 시간이 흘러 되돌아보았을 때, 좋은 기억으로 남을 수 있는 유일한 방법이라고 생각해요.

평소에 이런 생각을 갖고 살아가다 보니, 모임을 운영하면서 여러 가지 힘든 상황을 겪으면서도, 좋은 이별을 하기 위해 부단히 애를 썼던 것 같아요. 한 번쯤 화를 낼 법한 상황에서조차 단 한 번 화를 낸 적도 없고, 말실수 하지도 않았습니다. 하지만, 받아들이는 상대방이 섭섭했다고 하면, 어쩔 수 없습니다. 상대방의 마음까지 제 노력으로 바꿀 수 있는 건 아니니까요. 저는 당시에 그들보다 더 큰 상처를 받았음에도 좋은 모습을 보이려 했다는 것. 그리고, 최대한 좋은 이별이 될 수 있도록 노력했다는 것만으로도 저는 그들에게 할 수 있는 최선을 다했다고 생각해요.

아름다운 이별을 위한 노력

앞선 내용들에서 제가 했던 아름다운 이별을 위한 노력은 최대한 상대방이 상처받지 않고, 있는 그대로의 마음을 전달하는 방법을 택하는 것이었습니다. "당신과 좋은 관계로 남고 싶었지만, 운영할 때 계속 어려움을 겪고, 그 때문에 힘들었다."라고 말이죠. 또 모임을 없앨 때도, 나에게 모임장을 달라고 했던 운영진 친구에게도 나쁜 말을 하거나, 제 입장을 생각하지 않아서 서운하다고 탓하기보다, "그래, 네가 원하는 쪽으로 최대한 조율해 줄게." 하는 식으로 그 친구가 원하는 바람을 최대한 들어주려고 노력했습니다. 그래서, 최악의 상황으로 치닫지 않았던 것 같아요. 그들도 힘든 부분이 있었겠지만, 저 역시 힘들었습니다. 제가 힘들다고 해서, 모임장이라는 지위를 이용해서 그들에게 제멋대로 대하고, 저만 생각하는 이기적인 행동을 하지 않았습니다. 그게 제가 할 수 있는 도리라고 생각했기 때문입니다.

이러한 노력이 있었기에, 제가 모임을 정리할 때, 회원분들과 아름다운 이별을 할 수 있었습니다. 회원분들 한 분 한 분과 따로 마지막 인사를 했고, 그 과정에서 "고마웠다고, 하는 일 잘 되길 바란다."라는 말도 들었습니다. 저도, 그들에게 "그동안 감사했습니다. 나중에라도 한번 만났으면 좋겠습니다."라고 인사를 건넸습니다. 아름다운 이별을 위한 노력 덕분에 회원 대다수와 끝맺음을 잘할 수 있었습니다.

이별의 감정

마음을 짓누르던 고통과 함께 모임을 정리할 때의 저의 감정은 미안함과 슬픔도 공존했습니다. '내가 조금 더 잘 운영했더라면. 내가 조금 더 관계에 능숙한 사람이었다면 모임을 더 잘 운영할 수 있지 않았을까?'하는 생각이 제 마음을 무겁게 만들었습니다. 아마도 당시의 회원분들은 제가 자세한 이야기를 하지 않았기에 이런 세부적인 일들에 대해서는 몰랐을 겁니다. 복잡함의 무게는 저 혼자 지면 되는 일이었습니다. 물론, 모임 내에서 여러 시끄러운 일들 때문에 뭔가 문제가 생겼구나! 정도는 눈치채셨을 거라 그것 한 가지가 가장 미안했습니다. 즐거워야 할 모임을 무겁게 만든 것 같아서 말이죠. 그런데도, 마무리를 잘할 수 있어서 다행이었다고 생각합니다.

이별의 속사정

살아가다 보면, 저마다의 사정도 있고, 모든 것을 다 알 수도 없고, 나눌 수도 없는 순간이 있습니다. 그럼에도, '좋은 끝을 맺기 위해 누군가 노력하고 있다.'라는 것도 사실이에요. 여러분도 좋은 이별을 한 기억이 있으신가요? 그렇다면, 그 이별을 위해 당신이 노력을 많이 했거나, 상대방이 노력을 많이 했기 때문입니다.

좋은 이별을 할 수 있었음에 감사하고,

좋은 기억을 갖고 살아간다면 더할 나위 없이 행복한 사람일 거로 생각해요.

29. 모임은 나를 어떻게 바꾸었을까?

사람이 바뀌는 건 사실….

끝없는 암흑 속 한줄기 빛이 들다.

저에게 가장 힘든 시기를 꼽으라면, 20대 사회생활을 했을 때입니다. 몸에 맞지 않는 직장에서 단지 '생계'를 위해서 일하는 사람이었습니다. 이런 생활은 몸과 마음에 병을 만들었습니다. 여기저기 아팠지만, 상황을 해결할 수 있는 뾰족한 수가 없었습니다. 그렇게 아픈 상태에서 버겁게 느껴지는 일상이 반복됐습니다. 당시에는 이렇게 끝이 안 보이는 삶이 저를 더 힘들게 만들었습니다. '이 어둠은 도대체 언제 끝나는 걸까? 평생 이렇게 어둡기만 할까?'라는 생각이 저를 더 괴롭게 만들었습니다. 그렇게 아무런 의욕도 없이, 끝없는 어둠에 짓눌려 살던 어느 날, 변화의 바람은 생각지도 못하게 불어왔어요.

변화의 바람이 불다.

당시 이직했던 직장이 지금까지와는 달리 좋은 직장이었습니다. '어떻게 좋은 조직에 들어갈 수 있었을까?' 생각해 보니, 그때 저는 제 나름대로 좋은 선택을 했기 때문이었습니다. 이전까지의 수많은 시행착오를 겪다 보니, 직장을 보는 눈이 생겼습니다. 채용공고만 봐도, '아, 여기 이럴 거 같다.'라는 감이 왔죠. 그리고, '어! 여기 정말 좋은데?'라는 감도같이 왔어요. 그리고, 그 감은 정확했습니다.

물론, 좋은 직장이라고 해도, '내가 어떻게 하느냐'에 따라 달라진다는 것도 알고 있었습니다. 그래서, 저는 그 조직에서도 지금껏 그래왔듯이 최선을 다했어요. 그러자, 이전 조직과는 달리 회사에서 인정도 받고, 좋은 피드백을 주는 상사와 동료 직원을 만났습니다. 물론, 안정적인 자리는 아니었지만, 저는 '돈보다 사람과의 관계'가 더 중요했던 사람이라 새로운 직장에 대한 만족감은 높았습니다. 무엇보다 이러한 조직 환경과 분위기가 너무 좋았습니다. 그리고, 이곳에 근무하면서, 과거에 다녔던 직장에서 있었던 상처를 조금씩 치유할 수 있었습니다. 사람에게 받은 상처는 사람에게 치유한다는 말이 있는 것처럼 저 역시, 조직에서 받은 상처는 또 다른 조직 활동을 통해서 치유할 수 있었습니다.

그러던 어느 날, 갑작스레 '이제 일도 안정된 것 같은데, 일상에서 조금 더 의미 있는 일을 할 수 있는 것이 없을까?' 생각하게 되었어요. 그리고, 몇 년 동안 고민하고도 그저 '두려움' 때문에 하지 못했던 모임 활동을 처음으로 용기 내어 시작하게 되었습니다.

"용기 내어 시작한 모임 그것이 변화의 작은 행운이 되었다."

용기를 내지 않았다면, 평생 시작하지 않았을 모임 활동. 그러나, 그 모임 활동에 한 번 참석하고, 두 번 참석하면서, 제 안에 있던 '사람에 대한 두려움'이 조금씩 사라져 갔습니다. 모임에 온 사람들은 저마다 갖고 있던 삶의 무게를 모임 활동을 통해서 내려놓았습니다. 덕분에, 모임 활동을 할 때는 너무 무겁지도, 너무 가볍지도 않은 분위기 속에서 적응할 수 있었습니다. 그리고, 그 시간이 모여, 원래 저의 본모습인 '사람을 좋아하는 모습, 밝은 모습'이 나타나기 시작했어요. 저도, 저의 변화된 모습을 보면서, "그래, 나 원래 밝은 사람이었지. 그동안 내가 아닌 모습으로 살아왔던 거였어."라며, 제 본모습에 대해 자각하기 시작했어요.

매일이 기대되는 삶.

그리고, 정말 오랜만에 하루하루가 재밌고, 기대되기 시작했어요. 본모습으로 살기 시작하자, 처음 활동하는 모임에서 '진행자'라는 것도 해보게 되었죠. 처음 활동하는 모임이다 보니, 진행자가 뭐고, 왜 필요한지도 몰랐지만, 모임 활동을 하면서, 진행자의 역할에 대해 생각해 보고, 사람들이 원할 것 같은 모습의 진행자로 저 자신을 바꿔나갔어요. 그러다 보니, 얼마 지나지 않아서 많은 사람이 "oo 님이 진행 정말 잘해주신다. 다른 분들이 진행하는 것도 들어봤지만, 정말 잘 이끌어 주시는 것 같아요. oo 님이랑 같은 조가 안 됐지만, oo 님이 진행하는 모습을 보면 눈에 띄더라고요. oo 님이 하는 진행도 한번 들어보고 싶었어요." 등의 말도 꾸준히 듣게 되었습니다.

그렇게 저는 제가 좋아하는 일 그리고, 잘하는 일이 무엇인지 정확하게 알 수 있게 되었습니다. 사회생활을 시작한 이후, 직장만큼 에너지를 쏟았던 곳은 '독서 모임'이 되었습니다. 이렇게 차근차근 저를 발전시켜 나가던 어느 날, 저 자신에게 한 가지 좋은 변화가 나타났습니다. '내 안의 부족한 부분을 극복하고 싶다.'라는 열망이었죠. 그리고, 그 열망을 따라 저는 용기를 냈습니다. 바로, '나만의 모임을 운영해 보는 것.' 그토록 두려워했던 사람들, 낯선 사람들을 만나고, 이끄는 일. 과연 내가 할 수 있을까? 의심할 때도 있었지만, 저는 어느새 '두려움보다 열망을 따르는 사람'으로 바뀌어 있었어요. 예전의 저였다면, 이런 생각조차 하지 못했을 거예요. 그리고, 당시 주변인들 역시, 저의 이런 생각을 만류했어요.

과거의 저였다면, 지인들의 말에 좌절한 채 아무것도 하지 않았을 거예요. 하지만, 이번에는 달랐습니다. "남들이 하지 말라고 하든 말든, 해봐야겠어!"라고 말이죠. 그렇게 저만의 모임을 만들고, 운영이란 것을 처음 해봤습니다. 그리고, 그 모임을 통해서 소정의 운영비를 받고 모임을 운영하는 경험도 했습니다. 복잡하고, 머리 아픈 일도 많았지만, 새롭고 좋은 경험도 많이 하게 되었습니다. 그리고, 저에게 있었던 가장 큰 변화는 상처받는 일이 있어도, 과거처럼 상처받고 끙끙 앓는 것이 아닌, '상처를 뚫고 나가는 사람'으로 바뀌었다는 점이었습니다.

만약 제가 모임에 참여하지 않았다면 그리고, 저만의 모임을 운영하지 않았다면 과연 제가 이렇게 바뀔 수 있었을까? 싶습니다.

작년까지만 해도, 저는 사람이 바뀌려면 '책을 수없이 많이 읽으면 되는 줄 알았어요.' 하지만, 책은 책일 뿐입니다. 사람이 바뀌려면, 특별한 계기가 필요한 것도 아니었어요. 그저 살아가다 보면, 삶이 저를 이끄는 곳이 진짜 변화의 시작이었습니다. 한편으로는 이렇게 생각하기도 합니다. 아주 어릴 때부터 읽었던 책이 내 삶에 큰 도움은 안 되었던 것 같았지만 그럼에도, '그 책이 있었기에 좋은 선택을 할 수 있었던 것은 아닐까?' 하고요.

지금의 저는 꽤 많이 바뀌었습니다. 여전히 부족한 면도 있지만, 딱 작년 겨울과 비교했을 때, 1년도 되지 않는 시간 안에 엄청난 성장을 한 사람으로 바뀌었습니다.

여러분들은 어떤 모습의 사람으로 살아가고 싶으신가요?

과거의 저처럼 힘든 시기를 겪고 있는 분이 계신다면, 저도 바뀌었으니, 여러분도 바뀔 수 있어요. 파이팅입니다.

30. 모임 그 후

놓아야 할 때, 놓을 줄 아는 것도 용기다.

포기한다는 것의 의미

우리는 어떤 선택을 할 때, 항상 '이걸 선택하면, 저걸 손해 보고, 저걸 선택하면, 이걸 손해 본다.'라는 생각 때문에 아무런 선택을 하지 못할 때가 많습니다. 예를 들면, 어렵게 공부했던 시험에서 연거푸 낙방했을 때, 시험을 포기하거나 지금껏 공부했던 것이 아까워서 다시 한번 더 도전해 보는 것 중에서 선택할 때. 운동선수였다면, 국가대표로 활동하고 있지만, 몸에 큰 부상을 입거나, 선수로써 활동이 어려울 때 '평생 해오던 선수 생활을 내려두거나 혹은 몸에서 부족한 부분을 어떻게든 보완해서 선수 생활을 지속하는 것 중에서 선택하는 것' 등이 있을 거예요. 대부분은 포기하지 않고, 하던 일을 지속해서 좋은 결과를 얻는 것만이 최고라고 생각할지도 모르겠습니다.

하지만, 인생은 항상 포기하지 않고 모든 것을 성공시키는 결말만 있는 것은 아니에요. 포기하지 않고, 한 번 더 시도를 통해서 좋은 결과를 얻어내는 사람이 있는 반면, 한 번 더 시도했지만, 또다시 실패하는 사람도 있습니다. 그럼 실패한 분들은 성공할 때까지 계속 도전하는 것이 좋을까요? 아니면, 자신이 처한 상황을 객관적으로 판단해서 포기하고 또 다른 길을 찾는 것이 좋을까요? 정답은 본인 외에 아무도 모릅니다. 누구도 선택에 관한 결과를 책임져 주지 않으니까요. 이렇게 우리는 무언가 해오던 일을 포기하는 것은 정말이지 쉽지 않습니다. 포기한다는 건 곧, '나의 모든 노력을 내 손으로 놓아야 한다.'라는 뜻이기도 하니까요.

이렇게 어렵게 포기라는 선택을 하고 난 이후는 어떨까요? 포기 이후에는 한 번도 몸담은 적 없던 영역에서 다시 처음부터 쌓아나가야 합니다. 모두가 알다시피 쌓아 올린 것을 뒤로한 채, 다시 처음부터 시작하는 일은 고통스러운 일입니다. 그렇기에 모두가 '포기라는 선택'을 하지 않으려는 것입니다. 그런데도, 어쩔 수 없이 '포기'라는 선택해야 할 때도 있는 법이죠. 자의든, 타의든 포기라는 선택을 하는 것 자체가 굉장한 용기가 필요한 일입니다. 그렇기에 포기를 선택한 당신은 '정말 용감한 사람'이라고 말해주고 싶습니다.

포기. 그리고 포기 이후의 삶

저 역시, 짧다면, 짧은 기간 동안 운영했던 모임을 완전히 없애 버리는 결정은 쉬운 일이 아니었어요. 하지만, 저는 제가 가진 장점 중 하나인 '정리'하나는 잘하는 사람이었습니다. 당시 제가 처한 상황을 고려했을 때, 모임을 계속 운영하는 것이 제 삶에 별 도움이 안 된다는 판단이 섰습니다. 본업보다 더 많은 시간을 소모하게 만든다는 점. 취미로 시작한 일에 너무 많은 감정을 소모하게 한다.'라는 점이었죠.

정리의 이유가 명확해졌어요. 그리고, 그다음 제가 할 일은 모임을 '잘 정리하는 것'이었죠. 이전 화에서 이야기했듯이 저는 최대한 사람들과 좋은 이별을 했습니다. 쉽지 않은 과정을 거쳐서 모임을 깔끔하게 정리했어요.

모임을 정리하고 나자, 그동안 애먹던 일도 함께 정리되었어요. 이런저런 상황과 관계없이 속이 후련했습니다. 모임을 정리하고 나서, 오랫동안 속상할 줄 알았던 저에게

숨 돌릴 틈 없이 새로운 제안이 들어왔습니다.

1. 글을 통해 수익이 발생하는 업무 제안
2. 타 모임을 운영하는 모임장 역할
3. 고정적인 사무계약 업무

새롭게 맡게 된 모임은 모임 대표가 따로 있었고, 저는 총괄 관리하는 모임장 역할만 하면 되었습니다. 해당 모임을 방문하는 회원과 당일 모임 운영에 필요한 전반적인 일을 관리하고, 진행하는 역할을 하면 되는 일이었죠. 계속해 왔던 일이라서, 크게 어렵지 않았습니다. 한차례 개인 모임을 운영하며, 우여곡절을 겪었던 터라 내성이 생긴 덕분이었습니다. '내 모임'이라는 부담감이 줄었던 덕분에, 오히려 내 모임처럼 집중해서 일을 할 수 있었습니다. 초반에는 모임 운영과 관련해서 조율할 일도 많았고, 새롭게 배워야 할 일도 많았습니다. 그 과정에서 혼자서 센스 있게 대처해야 하는 상황도 펼쳐졌습니다. 물론, 어려움이 있었지만, 저는 센스 있게 척척 해냈죠. 그러면서, 재미와 편안함을 느꼈던 것 같습니다.

또 다른 기회.

이렇게 한쪽에서는 들어오는 제안에 협업하는 일들을 했고, 다른 한편에서는 '글로 먹고살기 위한 교육 활동'을 진행했어요. 제가 관심 있던 분야 중 한 곳에서 교육생을 선발하는 사업에 선정되어 그 교육을 장기간 들었습니다. 그러면서, 진정으로 글 쓰는 사람의 삶으로 들어서게 되었어요. 올 초만 해도, 프리랜서의 삶을 막연하게 생각했는데, 모임을 시작으로 프리랜서의 삶으로 들어서게 되었습니다.

예전에는 "좋아하는 일을 하면, 마냥 좋겠지?"라는 막연한 생각을 가졌던 사람이었다면, 막상 프리랜서의 삶으로 들어가 보니, "모든 건 내가 하나부터 열까지 만들어 나가야 하는구나. 직장 생활보다 훨씬 어려운 삶이 프리랜서의 삶일 수도 있겠다."라는 생각하게 되었습니다. 이렇게 모임을 정리한 후의 저의 삶은 모임은 언제 정리한 거야? 싶을 정도로, 모임을 정리하고부터 훨씬 더 바쁜 삶을 살게 되었습니다.

본업에 집중하면 생기는 신기한 일.

운영하던 모임을 정리하고, 제 본업에 집중하자 신기한

일이 생겼습니다. 앞서 이야기했던 교육 지원 사업에 1, 2, 3차에 계속 선정되는 일. 그리고, 최근에는 지원금 사업에 선정되는 일까지 있었습니다. 물론, 이 모든 건 제가 올해 계획했던 일들이라 신기할 일은 아니었지만, 계획했다고, 모든 것들이 계획대로 되는 건 아니라는 측면에서, 굉장히 신기한 경험이었다고 할 수 있겠습니다.

모든 일이 술술 풀리는 마법.

평생 살면서 무언가에 선정되는 일이 잘 없는 사람이었는데, 올해는 이상하게 참으로 좋은 일들이 많이 일어나고, 계획했던 대로 일이 술술 풀려나가는 한 해가 아니었나 싶습니다. 돌이켜보면, 뭐 하나 수월한 것 없는 순간들이 있었음에도, 즐겁게 제가 할 수 있는 일들에 임했기에 이런 결과가 일어날 수 있었던 것은 아닐까? 하는 생각이 들었습니다. 만약 제가 운영하던 '저의 모임을 정리하지 않고, 끝까지 끌고 갔다면 어땠을까?'요. 저 나름대로 또 다시 최선을 다했겠지만, 지금과 같은 결과는 확신할 수 없습니다. 마음 아픈 결정이었지만, 모임을 정리하고 나니, 오히려 홀가분함도 느끼고, 일도 술술 풀렸습니다.

여러분도 가끔 무언가 포기해야 할 때가 있음에도, 포기하지 못한 적 있으시죠? 포기를 하는 것도, 그 일을 지속하는 것도 모두 여러분의 선택이고, 여러분의 의지입니다.

저는 여러분들이 그 일을 계속하던, 포기하던, 그 결정으로 인해 좋은 결과를 얻으시길 바랍니다.

감사의 글.

이 책을 쓰기 시작했던 건 작년 7월 중순부터였습니다. 책을 다 쓰기까지는 불과 석 달 남짓이었지만, 책을 쓰고 난 후, 편집과 검토 과정을 거쳐 출판하기까지는 1년에 가까운 시간이 걸렸습니다.

책을 쓸 때만 해도 저는 그저 좋은 이야기를 들려드리고 싶은 마음으로 썼습니다. 그리고, 저의 이야기가 어떤 분들에게는 도움이 되는 이야기이기를 바랐습니다. 책을 쓰고 나서, 여러 번 검토의 과정을 거치면서 제가 쓴 책 내용에 관한 생각이 바뀌기도 하고, 조금 더 좋은 방식으로 전달하려고 노력했습니다. 누군가에게는 정말 필요한 이야기가 담긴 책이길 간절히 바랍니다.

중학교 때쯤 학교 운동장을 걸으며, 속으로 막연히 되뇌던 꿈이 있었습니다. '나중에 어른이 돼서, 성공하면 내 책을 써서 그 책으로 강연하고 귀감이 되는 사람이 되고 싶다.'라는 꿈이었습니다. 그 다짐을 드디어 이루게 되었습니다. 어린 학생은 성인이 될 때까지 참 많은 일을 겪었습니다. 그리고, 그 과정에서 많이 성장하고, 단단해졌습니다.

지나고 보니, 인생의 성공이 꼭 금전적·사회적·물질적 성공만 있는 건 아니었습니다. 평범한 사람도 매일 자신에게 주어진 삶을 최선을 다해서 살다 보면, 그 자체가 하나의 성공인 것을 깨달았습니다. 어릴 적 가훈이었던 '자기가 맡은 일에 최선을 다하자.'라는 말처럼 어느새 저도 그런 삶을 살려고 노력하는 어른이 되었습니다. 평범했던 저의 이야기가 제 책을 읽을 독자분께 필요한 인생 이야기가 되었으면 하는 마음으로 한 글자 한 글자 써 내려갔습니다.

끝으로, 제 인생에 가장 큰 교훈을 주신 분이자, 삶의 든든한 토대가 되어준 아버지, 어머니. 그리고, 부족한 것이 많은 저에게 가장 친한 친구가 되어준 여동생. 마지막으로 항상 제 일처럼 걱정해 주고 티 안 나게 응원해 줬던 남동생. 제 삶의 가장 큰 이유이자 존재입니다. 가족에게 이 책을 가장 먼저 보여주고 싶습니다. 더불어 감사의 글을 바칩니다.

마지막으로, 제가 사회에서 만났던 수많은 인연과 제 책을 만나게 될 독자분들에게도 감사한 마음을 전합니다. 여러분들 삶에도 소중하고 행복한 일들이 일어나길 늘 바랍니다. 감사합니다.

주석.

출처:

03. 무라카미 하루키의 노르웨이 숲
04. 무라카미 하루키의 언더그라운드(네이버 지식백과)
https://terms.naver.com/entry.naver?docId=2170097&cid=41773&categoryId=50387
05. 송 사무장의 부동산 경매 기술'
06. 사랑의 이해
07. 달러구트의 꿈 백화점
13. 빠르게 실패하기
19. 빌런(나무위키)
https://namu.wiki/w/%EB%B9%8C%EB%9F%B0
26. 가스라이팅(네이버 지식백과)
https://terms.naver.com/entry.naver?docId=5138864&cid=43667&categoryId=43667